Une seconde chance

L'Instit

Série télévisée de Pierre Grimblat
dirigée par Didier Cohen

Une seconde chance

Un roman de Gudule

d'après le scénario de
Jean-Claude Islert, Pierre Colin-Thibert
et Didier Cohen

HACHETTE
Jeunesse

Série *L'Instit* dans la Bibliothèque Verte

Hachette Livre, 24, boulevard Saint-Michel, 75006 Paris

Prologue

Les neiges éternelles étincellent au soleil. Sur la route en lacet qui descend vers Collioure, une moto roule à vive allure. Ébloui, le pilote cligne des yeux.

Le dôme blanc de son casque accroche les rayons matinaux.

L'air est froid et vif, d'une pureté qu'on ne rencontre que dans les Pyrénées. La journée sera belle, malgré l'approche de l'hiver.

En bas, nichée entre le contrefort de la montagne et une mer d'un bleu intense, la ville se déploie, ocre et rose. Le motard sourit. Dans un quart d'heure, au plus, il y sera.

Soudain, derrière lui, un bruit de moteur à plein régime fait écho au sien. Dans son rétro apparaît une Trial de compétition — une belle bête, souple et nerveuse, aux chromes étincelants —

qui bientôt le talonne. Un homme casqué de noir la conduit.

Durant quelques instants, les deux machines roulent en tandem. Puis la Trial accélère, dépasse la BMW, et dans un hurlement disparaît à l'horizon.

Parvenu sur le port, le premier motard ralentit, met pied à terre. Il relève sa visière, contemple les bateaux, les bandes de mouettes qui piaillent dans les mâts, le fort, narguant la mer. Puis, s'adressant à un pêcheur qui répare ses filets sur le ponton d'un rafiot, il lui demande son chemin. L'autre indique du doigt le centre ville.

La Trial, elle, est restée à flanc de coteau.

Sur un chemin de terre que bordent des vignobles, elle s'est arrêtée. L'homme a retiré son casque intégral. Une paire de jumelles à la main, il inspecte les environs. Une propriété, dissimulée dans la verdure, attire son attention. Il s'y attarde.

De la maison sort une blondinette d'une dizaine d'années. Elle porte un cartable sur le dos. Une vieille dame la suit, lui parle, l'embrasse tendrement. Puis l'enfant se sauve à toutes jambes.

Elle emprunte un sentier longeant un petit bois et débouche sur la route, où l'attend un car scolaire qui klaxonne à son approche. Un garçonnet la rejoint. Ensemble, ils embarquent.

Lorsque le car démarre, le motard repose ses jumelles. Puis, pensivement, retourne vers sa machine.

En bas, la demie de huit heures sonne au clocher de l'église.

1

Dans la cour de récréation, les CM1 sont en effervescence. Il y a de quoi : c'est aujourd'hui que Mme Vasseur, leur maîtresse, part en congé de maternité.

Une atmosphère de conspiration règne au sein du petit groupe, massé autour de Jonathan, la vedette du jour. On dit que la gloire monte vite à la tête, c'est vrai : Jonathan parade comme un paon.

Est-ce à cause du paquet qu'il transporte, une boîte volumineuse enveloppée de papier doré ?

« C'est celui qui était dans le magasin de ton père ? » souffle Marc, en reniflant.

Il s'est enrhumé la veille, au foot. On court, on transpire, on se découvre, et pouf, un coup de vent là-dessus...

« Ben oui, répond Jonathan, faussement désinvolte. J'ai eu droit à une réduc, mais je vous préviens, il manque encore des sous !

— Oh, l'autre ! s'indigne Julia. Il y avait

soixante-trois francs, ça suffit pour un truc d'occase !

— Tu rigoles ? C'est de la vraie peluche, ma vieille ! Papa le vendait cent francs, et il a accepté de descendre à quatre-vingts. On a fait une affaire ! »

Julia n'a pas l'air convaincue. Elle fronce son petit nez de rousse, plein de taches de son.

« J'aurais préféré une poupée », grogne-t-elle.

Marc bondit :

« Une poupée ! T'es gogol, toi ! Et si c'est un garçon, hein, on aura l'air de quoi ?

— Bonjour la honte ! pouffe Frédéric.

— Ce qu'il y a de bien avec les nounours, dit doctement Sandrine, c'est que c'est unisexe. Comme les jean's et les T-shirts ! »

Deux, trois rires soulignent sa remarque.

« Vingt-deux ! s'écrie tout à coup Frédéric. Planque le cadeau, elle arrive ! »

D'un pas un peu lourd, une jeune femme s'approche. Sous son manteau entrouvert bombe un ventre proéminent.

« Son bébé, elle aurait pu le faire pendant les grandes vacances ! » glisse Frédéric à Sandrine.

La fillette hausse les épaules :

« T'y connais rien ! Des fois, les bébés, ça vient sans qu'on s'y attende ! On ne décide pas toujours de la date.

— Qu'est-ce que tu en sais, toi, d'abord ? Tu as déjà essayé ? »

Un mouvement dans le rang. Quatre ou cinq

élèves se massent autour de Jonathan, pour mieux dissimuler le paquet. L'institutrice feint de ne rien remarquer, mais si on l'observe bien, son expression amusée la trahit.

Par chance, personne n'y prête attention, car au même instant, une pétarade éclate. Toutes les têtes se tournent vers la grille. Une grosse cylindrée vient d'entrer dans la cour.

« Qui c'est, celui-là ? » s'étonne Marc, en frottant son nez sur sa manche.

Jonathan ouvre des yeux ronds :

« J'en sais rien... C'est pas un élève, en tout cas !

— Ni un prof !

— C'est peut-être le remplaçant de Mme Vasseur ? » suggère Sandrine.

Julia vrille un index moqueur sur sa tempe :

« T'as déjà vu un instit à moto, toi ?

— Pourquoi pas ? s'écrie Frédéric. Moi, ça me plairait bien ! »

Le nouveau venu enlève son casque blanc, passe ses doigts écartés dans ses cheveux. Il a vraiment l'air chouette ! La quarantaine, un visage ouvert, sympa, des yeux qui semblent rigoler tout le temps... Une tête de grand copain, quoi !

Son regard se dirige vers les CM1, parcourt ces visages inconnus tournés vers lui, s'arrête sur un petit brun râblé.

« Ah oui, vraiment, ça me plairait ! » répète Frédéric, en captant le sourire qui lui est destiné.

En trois enjambées, le motard rejoint le rang qui s'ébranle, et pénètre à sa suite dans la classe.

Tous les yeux sont fixés sur l'homme en blouson de cuir qui, très à l'aise, monte sur l'estrade.

« Mes enfants, je vous présente votre nouveau maître, monsieur Victor Novak, annonce Mme Vasseur. Vous et moi, nous nous retrouverons au prochain trimestre. »

Elle paraît émue. Sa voix est moins ferme que d'habitude.

Se tournant vers son remplaçant :

« Vous verrez, ce sont de bons élèves, poursuit-elle. Je vous les confie... »

Novak la remercie d'un signe de tête.

« Bonjour, tout le monde ! s'exclame-t-il avec enjouement. J'espère qu'on fera du bon travail ensemble ! »

Son expression est amicale et rassurante.

« Je suis sûr qu'on va bien s'entendre, hein ? Qu'en pensez-vous ? »

Un seul et même élan soulève la classe : « Ooouuuiii ! ! ! »

Frédéric est placé juste devant Jonathan. Profitant du brouhaha, il se retourne :

« Allez, qu'est-ce que tu fabriques ? File-lui son cadeau ! »

Jonathan se tortille sur son siège. Il a perdu un peu de sa superbe :

« Maintenant ? s'effare-t-il.

— Évidemment, patate ! Après, elle va se barrer ! »

Le conciliabule n'a pas échappé à Mme Vasseur.

« Alors, vous deux, encore en train de bavarder ? J'espère que vous apprendrez à vous taire, avec M. Novak ! »

Jonathan se lève. Il est couleur pivoine et brandit son paquet à bout de bras :

« C'est pour votre bébé, m'dame, de la part de tout le monde. »

La jeune femme mime la surprise :

« Si je m'attendais... »

Elle se tourne vers Novak :

« Et moi qui les grondais...

— Ça s'appelle une erreur judiciaire ! » signale Frédéric, qui n'a pas sa langue dans sa poche.

Éclat de rire général, auquel se joignent volontiers les deux instits.

Dans une ambiance survoltée, Mme Vasseur déballe son paquet. Elle en extrait un nounours blanc, quasiment neuf, au cou orné d'un gros nœud rose.

Sa joie fait plaisir à voir !

« Je vous remercie, mes enfants, c'est très gentil ! »

Les CM1 trépignent, applaudissent, parlent tous en même temps.

« Madame, votre bébé, c'est un garçon ou une fille ? » demande une voix pointue, dominant le chahut.

D'un geste de la main, Novak réclame le silence. Sandrine, qui a posé la question, se lève.

« Une fille, répond Mme Vasseur. Une petite Laurence. »

En douce, Julia flanque un coup de coude dans les côtes de Marc, son voisin :

« Tu vois qu'on aurait dû acheter une poupée ! »

L'institutrice a remis le jouet dans sa boîte et se dirige vers la porte.

« Eh bien... au revoir, mes enfants. Souhaitez-moi bonne chance », dit-elle, la gorge serrée.

A Victor Novak, qui l'escorte :

« Excusez-moi, je suis bouleversée.

— Nous le sommes tous. A bientôt, madame Vasseur... en compagnie de votre petite Laurence ! »

Une fois seul, l'instit revient à ses élèves. Plus un bruit : ils sont impressionnés, tout à coup. L'instant est décisif. De cette première prise de contact, ils le savent d'instinct, dépendra le climat des semaines à venir.

Novak met la main en pavillon sur son oreille. Il semble écouter très attentivement.

« Eh bien ! s'écrie-t-il, j'en entends, des choses, dans ce silence ! Par exemple : « Oh ! là ! là ! il a l'air hyper sévère ! »... Et encore : « Pourvu qu'il ne donne pas trop de devoirs ! »... « Qu'est-ce qu'il va encore nous faire faire ? »...

Voilà qui détend l'atmosphère ! Des murmures s'élèvent ici et là, de furtifs commentaires.

« Vous donnez des pénos, m'sieur? s'enquiert Marc timidement.

— Des pénos, murmure Novak d'un air pensif, des pénos? Heu... non, je ne sais même pas ce que c'est! »

Là, c'est la franche rigolade.

« Il est génial! chuchote Frédéric à Sandrine, placée derrière lui.

— Pas de panique à bord, reprend Novak, décidément très "cool". Inutile de vous affoler, on va tranquillement poursuivre le programme. Mais en attendant, j'aimerais faire votre connaissance. »

Il sort un paquet de fiches en bristol, les tend à Julia, au premier rang :

« Fais passer, une par personne, lui précise-t-il. (Haussant le ton :) Sur ces petits cartons, vous allez m'écrire votre nom, votre date de naissance, et votre matière scolaire préférée. Et en dessous, la profession, l'adresse et le numéro de téléphone de vos parents. »

Un doigt se lève. Celui d'une petite grosse qui bourdonne « m'sieur, m'sieur » comme une mouche.

« Oui?

— Et s'ils sont divorcés, qu'est-ce qu'on met?

— Les deux adresses, pardi! »

Les bics entrent en danse. Chacun remplit avec soin le questionnaire.

Penchée sur le sien, Sandrine réfléchit. Ses cheveux blonds lui dégringolent dans la figure, elle les relève d'une main distraite. Puis fourre, avec perplexité, le bout de son stylo dans sa bouche.

Enfin, elle se décide.

Devant « maman », elle écrit « néant ». Et devant « papa », en belles lettres d'imprimerie, elle calligraphie soigneusement : « aventurier en Afrique ».

Puis, satisfaite de son œuvre, elle rebouche son stylo et attend qu'on ramasse les fiches.

2

« Moi, j'ai bien aimé la leçon de lecture, dit Sandrine, en descendant du car. Tu le connaissais, toi, Robinson Crusoé ? »

Frédéric saute du marchepied, les portières en accordéon se referment. Côte à côte, les deux enfants s'éloignent.

« Bof, tu sais, moi, les bouquins... répond le garçon en haussant les épaules. Je préfère la gym ! »

C'est au sentier qu'ils se séparent. Elle, remonte vers la maison de ses grands-parents, trois cents mètres plus haut, parmi les vignes. Lui, continue tout droit jusqu'au prochain carrefour.

« A d'main ! »

« A d'main ! »

Frédéric fait trois pas, s'arrête, rebrousse chemin. Quelque chose le tracasse.

« Dis donc, il y a un truc que je comprends pas. Comment elle le sait, la maîtresse, que c'est une fille qu'elle va avoir ? »

Sandrine prend un air important :

« Tu peux pas comprendre... C'est des affaires de femmes !

— Ah bon ? Allez, salut ! »

Perplexe, il repart. Des affaires de femmes, forcément...

Tout aussi troublée par le « mystère » — même si elle vient de jouer les filles averties —, Sandrine se noie à son tour dans un océan de réflexions.

« Peut-être qu'elle lui parle, à son bébé... pense-t-elle, tout en marchant. Ou peut-être que c'est pas pareil, ce qu'on sent dans son ventre, quand il y a une fille ou un garçon. Ou peut-être que... »

Le vent s'engouffre dans ses longs cheveux, les fait tourbillonner. Et flûte, ils vont encore s'emmêler, et après, gare aux nœuds ! Y passer le peigne devient un vrai supplice.

Heureusement, voici le petit bois. Au moins, on est à l'abri. En plus, c'est bientôt la saison des noisettes...

Elle ralentit, inspecte les arbustes d'alentour, s'éclaire. Mais oui, les cosses de velours vert et pourpre ont l'air à point !

Comme elle se hausse sur la pointe des pieds pour en cueillir quelques-unes, un craquement de branches brisées, non loin, la fait tressaillir. Interrompant le geste ébauché, Sandrine, inquiète, s'immobilise.

Un mouvement suspect agite le feuillage.

« Qu'est-ce que... »

Un ronflement, maintenant. Très doux.

Il n'y a jamais personne, dans ce minuscule

fouillis de verdure. Ni gens ni bêtes. A peine quelques oiseaux, et des écureuils, rarement... Mais aucun d'eux ne fait ce bruit... de moteur!

Le bruit augmente, augmente. Et soudain, une moto surgit de derrière les taillis, où elle était cachée.

Cachée? Pourquoi, cachée?... Est-ce qu'on se cache, quand on a de bonnes intentions?

Prise de panique, Sandrine laisse tomber sa cueillette et file. Les inconnus dans les endroits déserts, elle n'aime pas ça du tout! Surtout lorsque, comme celui-ci, on ne voit même pas leur visage!

La moto la suit.

La fillette presse le pas, la moto accélère.

Du coup, elle se met à courir, le mystérieux motard toujours sur les talons. Son inquiétude s'est changée en une trouille immense, et tout le monde sait que la peur donne des ailes. En tout cas, elle active les mollets! Sandrine est en train de battre tous les records de course à pied...

Imperturbable, la moto conduite par l'homme casqué de noir roule toujours derrière elle.

Et la maison qui est si loin, si loin...

Le cœur de Sandrine bat à tout rompre. Elle est tout essoufflée, et là, dans l'aine, un point de côté sournois menace. Mais elle ne ralentit pas pour autant.

Tout à coup, patatras!

Le pied de la fillette a buté sur une grosse pierre, et c'est le vol plané.

Au moment de mourir, paraît-il, on voit toute sa vie défiler en une fraction de seconde. Mais ce n'est pas le passé qui assaille Sandrine, à ce moment précis, c'est l'avenir. Un avenir très proche. La moto va lui foncer dessus, rouler sur son corps étendu, le réduire en purée. Il lui semble déjà sentir le poids des roues sur son dos... Et quand papy et mamy, inquiets de son retard, partiront à sa recherche, ils ne trouveront plus qu'un tas de bouillie, qu'ils ramasseront à la petite cuiller !

Elle ferme les yeux, met les mains sur sa tête, se ratatine autant qu'elle peut, et attend la catastrophe, toute crispée.

Mais il ne se passe rien.

En fait, la moto s'est arrêtée.

« Sandrine ! Sandrine ! Tu t'es fait mal ? »

Le mystérieux motard a retiré son casque, et se précipite. Tiens ? Il est moins effrayant que prévu.

Il s'agenouille à côté de la fillette, veut l'aider à se relever.

« Me touchez pas ! » hurle-t-elle.

Elle se remet debout et lui fait front, dressée sur ses ergots.

« Qu'est-ce qui vous a pris de vouloir m'écraser ? »

Il semble très embarrassé, se défend maladroitement :

« Je ne voulais pas t'écraser, je voulais juste te parler. Mais tu t'es sauvée comme une folle...

— C'est normal, je ne vous connais pas, moi ! Et comment vous savez mon nom, d'abord ? »

Il se mord les lèvres, comme quand on a fait une bêtise et qu'on ne sait pas comment s'en sortir. C'est un très très jeune homme, moins de trente ans, au jugé. Vingt-six, vingt-sept peut-être. Et plutôt mignon, genre voyou. Une tignasse blonde qui va dans tous les sens, un Perfecto, des santiags, une tête à la Renaud...

« Je t'ai fait peur, hein? dit-il, tout honteux. Excuse-moi, je ne voulais pas... »

Sandrine prend une mine dédaigneuse :

« Pffttt, j'ai peur de personne, même pas des méchants !

— Franchement, est-ce que j'ai l'air méchant? »

Elle lui lance un regard noir :

« L'air qu'on a, ça veut rien dire ! »

Dans la chute, tout à l'heure, son cartable s'est ouvert et le contenu s'est répandu par terre. Cahiers et trousse traînent dans la boue. Le motard s'en aperçoit et s'empresse de les ramasser.

« Laissez mes affaires ! gronde Sandrine.

— Eh bien ! dis donc, tu es agressive, toi ! »

En effet, ses yeux lancent des éclairs. Une petite sauvage comme elle ne s'apprivoise pas en deux mots gentils !

« Oh, tu as déchiré ton collant ! » s'exclame soudain le jeune homme, d'un ton désolé.

Il tend la main vers l'accroc, mais la fillette le repousse avec violence.

« Ça, c'est la barbe, poursuit-il comme si de rien n'était, ta maman va sûrement te gronder ! »

Sandrine s'est remise sur ses pieds. Elle ramasse son cartable, le referme. Et, plus butée que jamais :

« J'ai pas de maman », répond-elle.

Il esquisse une grimace qui signifie « on ne me la fait pas », et réplique en riant :

« Qu'est-ce que tu me racontes ? Tout le monde a une maman !

— Eh bien, pas moi ! Elle est morte quand j'étais toute petite ! »

L'inconnu a changé de visage. Son sourire s'est éteint d'un seul coup. Il a juste gardé la bouche ouverte, comme un idiot. Ou comme quelqu'un qui a très mal.

Sandrine en profite pour décamper sans demander son reste.

Un taille-crayon en forme de girafe, oublié, gît sur le sol, coincé entre deux mottes. Quelque chose coule dessus, venu d'en haut. Une goutte de pluie ? Non, il ne pleut pas. Une larme.

L'inconnu, tout seul maintenant, ramasse le petit objet, le regarde un instant. Puis l'essuie sur son jean, avant de l'enfouir dans sa poche.

3

Chez les Loisel, c'est cossu et douillet. Mamy aime bien l'encaustique. Des meubles cirés, des fleurs sur la table, du feu dans la cheminée : rien ne manque au confort. Et pour couronner le tout, une odeur de chocolat chaud, en provenance de la cuisine, embaume l'atmosphère.

A l'instant où Sandrine rentre, Tim, le chien jaune, qui dormait sur le tapis, pousse un bref jappement de plaisir et se précipite pour l'accueillir. Sa grande langue, pendant sur ses babines roses, investit les genoux de sa petite maîtresse. C'est une grande bête tendre, un bâtard pataud et démonstratif. Sandrine et lui s'adorent. La fillette lui rend caresse pour caresse, s'assure que sa grand-mère ne risque pas de la voir et, rassurée, file un bisou sur la truffe offerte. (Mamy a horreur de ça : elle trouve que ce n'est pas propre.)

M. Loisel, assis dans son fauteuil, remonte ses lunettes sur son front et interrompt la lecture de son journal.

« Alors, ma chérie, raconte-moi... Comment est-il, ce nouvel instituteur? Jeune, vieux, gros, maigre?... Chauve avec des lunettes, je parie! »

La fillette se laisse tomber sur une chaise, et retire son manteau qui glisse par terre.

« Perdu, papy! En tout cas, il est vachement plus jeune que toi! »

Un petit rire attendri lui répond :

« Merci du compliment!

— Et tu sais quoi? Il a une moto! »

En voilà une histoire! M. Loisel se lève, ramasse le manteau en passant, le met sur un dossier, et s'installe près de sa petite-fille, exagérément attentif :

« Une moto? Oh! là! là! Et quelle sorte de moto? Une petite, une grosse...? »

Sandrine n'est pas dupe du manège de son grand-père. Il n'a pas compris qu'elle avait grandi, et la traite toujours comme une gosse de cinq ans. Un brin condescendante, elle riposte :

« J'y connais rien dans les marques, tu n'as qu'à demander à Frédéric. Lui, c'est un spécialiste!

— Et en classe, ça s'est bien passé? Qu'avez-vous appris? »

L'enfant a un soupir de lassitude exagéré :

« On a bossé toute la journée. A tous les coups, il a voulu nous faire bonne impression! »

M. Loisel éclate de rire, aussitôt imité par sa petite-fille. Au même instant, Mme Loisel, portant le plateau du goûter, sort de sa cuisine.

« Qu'est-ce que vous complotez tous les deux? » sourit-elle.

Le contenu du plateau a déjà détourné l'attention de Sandrine.

« De la charlotte aux framboises, miam miam ! »

Elle se pourlèche les lèvres et frotte son estomac d'une paume enthousiaste.

« Une grosse part, mamy ! réclame-t-elle.

— Voyez-vous ça, la petite gourmande ! »

Manger et réfléchir, c'est incompatible. Surtout des pâtisseries. Le temps d'engouffrer son morceau de gâteau, Sandrine se tait donc. Mais une fois la dernière bouchée avalée, elle demande :

« Dis, mamy, comment elle le sait, madame Vasseur, que son bébé, c'est une fille ? »

Mme Loisel est bien embarrassée. Elle n'aime pas parler de ces choses-là. Trouver les mots qui expliquent « les mystères de la vie » à une petite fille de neuf ans, ça la gêne. Surtout quand c'est technique et dépasse ses compétences. L'échographie n'existait pas, de son temps !

« Aujourd'hui, c'est ainsi... répond-elle, évasive. Il n'y a plus rien de caché, on sait tout... Tu veux encore du cacao, ma minette ? »

La « minette » fait « oui » de la tête, et reste pensive.

« Maman, quand elle m'attendait, elle se doutait que j'étais une fille ? s'enquiert-elle finalement.

— Son cœur le lui disait sûrement, ma chérie ! roucoule la grand-mère, contente de s'en tirer à si bon compte.

— Et si j'avais été un garçon, elle m'aurait aimée quand même ?

— Les mamans aiment toujours leur bébé, quel que soit son sexe ! »

Un temps, puis :

« Et les papas ? »

L'horloge du salon marque cinq heures et demie.

« Si tu faisais tes devoirs, au lieu de poser des questions, Arsouillette ? » dit doucement M. Loisel.

4

Le lendemain matin, rebelote.

Décidément, il a pris pension dans le petit bois, ce motard ! Mais Sandrine s'y attendait, elle aurait même mis sa main à couper (la gauche, la moins utile !) qu'il se précipiterait derrière elle, dès qu'elle arriverait sous les arbres. Gagné !

Elle presse le pas. Ce n'est pas qu'elle soit inquiète, non : elle sait maintenant à qui elle a affaire. Mais par principe, il vaut mieux garder ses distances. C'est une question de dignité !

Avec ses grandes jambes, il a vite fait de la rattraper.

« Salut ! »

Il brandit un sac en papier :

« Je t'ai acheté un pain au chocolat, tu le veux ? »

La fillette hausse les épaules. Non mais, il la prend pour qui ? Pour une qui va en classe le ventre vide ? Le copieux petit déjeuner de mamy lui ballonne encore l'estomac.

« Je ne peux rien accepter des inconnus, c'est mon père qui me l'a dit ! jette-t-elle, sans se retourner.

— Ton père ? »

Le motard a un mouvement de recul :

« Ton père ?... Mais je croyais que tu vivais avec tes grands-parents ! »

Même prise en flagrant délit de mensonge, Sandrine ne se démonte pas.

« Puisque je vous dis que c'est mon papa ! riposte-t-elle agressivement. Il me téléphone souvent, d'Afrique !

— D'Afrique ? »

Le motard sourit. Un sourire tristounet qui fait naître deux fossettes dans ses joues. Marrant ! Sandrine a les mêmes !

« Ton père habite en Afrique ? Ça alors, c'est rigolo : moi, j'en viens ! »

Du coup, Sandrine s'arrête pile. Elle déteste qu'on se moque d'elle. Or, des coïncidences pareilles, ça n'existe pas !

« Vous ? (D'un air de défi :) Alors là, je vous crois pas !

— Je te jure ! Je réparais des avions. »

L'expression incrédule de Sandrine s'accentue :

« Des avions ? En Afrique ?! Mon œil !

— Mais si ! Tu sais, pour apporter des médicaments ou de la nourriture dans les villages... Attends, je vais te montrer un truc ! »

Il s'accroupit pour être à la bonne hauteur, défait son écharpe et retire, de sous son pull, un petit pendentif en bronze, qu'il agite sous le nez de Sandrine.

Cette fois, la fillette est réellement intéressée.

« Qu'est-ce que c'est?

— Un gri-gri.

— Un quoi?

— Un gri-gri, un porte-bonheur, si tu préfères. Ça vient d'un village du Sénégal, c'est un sorcier qui m'en a fait cadeau!

— On dirait une petite bonne femme!

— C'en est une, la déesse-mère qui combat les forces du mal. Si on la garde toujours sur soi, il ne peut rien vous arriver. Tu me crois, maintenant? »

Sandrine ne répond pas. Son doigt suit les courbes arrondies de l'idole : seins lourds, ventre rebondi (comme celui de Mme Vasseur!), hanches épanouies.

« Qu'est-ce qu'elle est jolie! » murmure-t-elle.

Le motard a une sorte de rire, aussi triste que son sourire de tout à l'heure :

« Elle te plaît? Je te la donne! »

Il détache le cordon de cuir qui maintient l'amulette autour de son cou, et la tend à la fillette.

Sandrine est bien embarrassée. « On n'accepte rien des inconnus! » dit une petite voix au fond d'elle. Mais la tentation est si forte... Et puis, quelqu'un avec qui on parle depuis dix minutes de l'Afrique, est-ce encore un inconnu?

Tandis qu'elle se balance d'un pied sur l'autre, toutes les phases de sa crise de conscience passent sur son visage.

« Prends-la, insiste le motard, je suis sûr que ton papa serait d'accord ! »

Elle ne demandait qu'à être convaincue. Ce dernier argument a raison de ses hésitations. Bientôt, la déesse-mère se balance sur son pull à elle, entre les tire-bouchons de cheveux blonds.

« Si ça se trouve, ton père, je le connais ! poursuit pensivement le motard. Je l'ai peut-être rencontré là-bas...

— Ça, ça m'étonnerait ! C'est hyper-grand, l'Afrique ! On rencontre pas les gens comme ça !

— A quoi il ressemble, ton papa ? Tu peux me le décrire ? »

Le regard qu'il a en demandant ça ! Tellement aigu que ses yeux, eh bien, on dirait des rayons laser !

« Je n'en sais rien, répond gravement Sandrine. Maman m'a montré des photos de lui il y a longtemps, mais j'étais trop petite, je ne me rappelle plus... »

Le motard avale sa salive. Comme il n'a plus son écharpe, on voit sa pomme d'Adam qui monte et qui descend. Ses rayons laser scrutent les prunelles de Sandrine, très loin, très loin, jusqu'au fond de l'âme.

« Tu ne les regardes jamais, ces photos ? s'étonne-t-il.

— Je voudrais bien, mais mon grand-père les a perdues... (Un temps, puis, tout bas :)... enfin, c'est ce qu'il dit... »

Venant de la route, un coup de klaxon retentit.

« Le car ! s'écrie Sandrine, je vais me faire enguirlander ! »

Elle part au triple galop, mais s'arrête au bout de quelques mètres, et se retourne :

« Merci pour le gri-gri ! » jette-t-elle, dans un sourire.

Son nouvel ami n'a pas bougé de place. Bras ballants, son écharpe traînant par terre, il la regarde s'éloigner.

Le silence qui suit les dictées règne dans la classe. Quelques retardataires, encore penchés sur leur copie, biffent en vitesse un mot, en rectifient un autre. Victor Novak passe dans les allées, jetant ici et là des coups d'œil sur les cahiers.

« Ça y est, tout le monde a fini ? »

Quelques « oui » s'élèvent dans la classe, deux, trois « non » aussi, quelques « attendez, m'sieur ! » L'instit frappe dans ses mains :

« On se dépêche ! Et n'oubliez pas de vérifier vos terminaisons ! »

Comme il achève de parler, Julia-la-rousse se lève et, tranquillement, commence à récupérer les cahiers de ses camarades.

« Qu'est-ce que tu fais, ma grande ?

— Ben, je ramasse. Avec Mme Vasseur, c'était toujours moi qui le faisais...

— Retourne t'asseoir... (S'adressant à la classe :) On va changer de méthode. Au lieu de me rendre son cahier, chacun de vous va échanger le sien avec celui de son voisin. »

Tout d'abord surpris, les CM1 obtempèrent. Mais ça ne va pas sans bruit ni discussions!

L'instit élève la voix pour dominer le brouhaha ambiant.

« Du calme, les enfants! Bon, maintenant, c'est vous qui allez corriger l'exercice.

— C'est pas juste! »

Le museau enchifrené de Marc se pointe vers Novak avec indignation.

« D'abord, tu te mouches, dit l'instit. Ensuite, tu m'expliques : qu'est-ce qui n'est pas juste? »

Tandis que Marc part à la recherche de ses kleenex, Frédéric répond à sa place :

« Il a raison, m'sieur : normalement, c'est le maître qui vérifie les fautes, pas nous! Nous, on peut se tromper, et après on aura des mauvaises notes! C'est nul comme système! »

Devant tant d'aplomb, Novak reste une seconde interdit, puis il se met à rire. C'est si communicatif que la classe l'imite aussitôt.

« Tu n'as pas ta langue dans ta poche, toi! Mais tu peux faire confiance à ma méthode. Vois-tu, soi-même, on ne se rend pas compte de ses propres fautes. On a beau se relire, elles passent inaperçues. Mais en général, celles des autres vous sautent aux yeux. D'accord? »

L'explication semble satisfaire Frédéric, par ailleurs ravi de son succès. Tandis que les derniers rires s'éteignent, il secoue la tête de haut en bas.

« On y va, alors? » propose Novak.

Les nez plongent dans les copies. L'instit quitte la rangée et remonte sur l'estrade, en recommandant sentencieusement :

« Et n'oubliez pas qu'au futur simple, la première personne du singulier ne prend jamais...

— D's ! » répond la classe d'une seule voix.

Installée près de la fenêtre, une élève ne semble pas prendre part au cours. Elle est loin, très loin de l'exercice d'orthographe et de sa correction. Perdue dans les nuages, elle caresse d'une main distraite un petit objet qui pend sur sa poitrine, entre les boucles blondes.

« Sandrine ? Qu'est-ce que je viens de dire ? »

L'enfant sursaute et pique un fard. Ses doigts se referment sur l'objet, pour le dissimuler. Elle bafouille :

« Heu... Ben... Vous avez dit que... »

Sa voisine, une petite brune à lunettes, vole aussitôt à son secours :

« Y a pas d's, souffle-t-elle.

— Qu'il n'y a pas... d's... » répète Sandrine, en hésitant.

Victor Novak fronce les sourcils :

« Merci, Lucille. (A Sandrine :) Qu'est-ce que tu caches de si intéressant dans ta main ? »

La fillette se trouble, fixe obstinément le sol en clignant des paupières.

« Rien, m'sieur... Rien du tout... »

Tant d'embarras attendrit l'instit, qui sourit avec indulgence et décide de laisser tomber.

« C'est ici que ça se passe, hein ! signale-t-il, en montrant le tableau.

— Oui », fait Sandrine, suspectement docile.

Et dès qu'il a le dos tourné, elle s'empresse de refourrer le pendentif dans l'échancrure de son col roulé, à l'abri des regards indiscrets.

Contre sa peau, le métal froid se réchauffe lentement. Les reliefs douillets de la déesse-mère forment une petite bosse sous la laine du pull tricoté par mamy. Tout en inspectant — sans grande attention ! — les pattes de mouche de Lucille pour y traquer les fautes, Sandrine pense à l'Afrique.

Là-bas, dans la savane, au rythme des tam-tam, un homme s'avance. Il n'a pas de visage (papy a perdu les photos !), mais il est sûrement très beau, très grand, très courageux... Autour de son cou se balance un gri-gri, semblable à celui-ci. Une déesse-mère qui le protège. Avec ce porte-bonheur, rien ne peut lui arriver.

Furtivement, la fillette tâte le léger renflement de bronze, à travers ses vêtements.

A l'horizon passe un troupeau d'éléphants. Leur pas lourd fait trembler la terre.

5

C'est le début de la matinée. Les hauteurs de Collioure baignent dans un brouillard cotonneux, saturé de particules de pluie. En compagnie de deux de ses employés, M. Loisel inspecte ses récoltes. Il possède les plus beaux vignobles de la région : tout le coteau ouest lui appartient, sur plus de trente hectares.

Tim se dérouille les pattes autour d'eux. Il va et vient entre les plants, la truffe en éveil, flairant par-ci, fouinant par-là, grattant le sol en quête d'odeurs, poursuivant avec frénésie quelque insecte rescapé de la belle saison.

Soudain, il dresse l'oreille et part en aboiements furieux.

« Allons, allons, l'apaise M. Loisel, qu'est-ce qui te prend, fripouille ? »

Un vrombissement à peine perceptible s'élève dans le lointain, et augmente peu à peu. Puis la silhouette d'une moto perce la brume, floue tout d'abord, mais se précisant à mesure qu'elle s'approche.

« Faut surtout pas se gêner ! s'exclame Louis, le contremaître, un grand diable d'homme en salopette rayée et chapeau texan.

— Ils se croient tout permis, ces jeunes, avec leur cross ! »

La machine stoppe à quelques mètres, au milieu des vignobles. Parfaitement immobile, le conducteur, que masque un casque intégral noir, reste assis sur sa selle, à fixer les trois hommes sans paraître les voir.

« Qu'est-ce que c'est que ce zozo ? » ronchonne M. Loisel, s'avançant vers l'intrus d'un pas énergique.

L'autre ne bronche toujours pas.

Tout en marchant, le vieil homme l'apostrophe sans douceur :

« Vous êtes sur une propriété privée, ici ! Vous désirez quelque chose ? »

Très lentement, le motard retire son casque. M. Loisel se fige.

« Gilles ? » articule-t-il enfin, d'une voix blanche.

Durant quelques instants, ils s'affrontent sans rien dire. Un face à face chargé d'une tonne de choses : souvenirs, rancœurs, ressentiments... et d'une présence, surtout, une présence indicible : celle d'une morte.

C'est le vieillard qui rompt le tragique silence :

« Grand dieu, que faites-vous ici ? »

Sentant leur patron en difficulté, Louis et son

compagnon s'approchent à grands pas, retenant Tim par le collier.

« Ça va, boss ? Vous voulez qu'on s'occupe de ce type ? »

Loisel les écarte d'un geste.

« Que voulez-vous, Gilles ? Pourquoi êtes-vous revenu ? »

L'expression du motard est tendue, presque douloureuse. Sous les cheveux blonds en bataille, ses yeux laser, aux trois quarts masqués par les paupières, ressemblent à deux fentes. Deux meurtrières, plutôt. Et dans ses mains, le casque tremble.

Enfin, il se décide à prendre la parole. Mais sa voix tremble aussi :

« J'aimerais comprendre, Monsieur Loisel... Je suis venu pour que vous m'expliquiez ! »

Se sentant agressé, l'autre s'emporte aussitôt. C'est un tempérament sanguin.

« Vous expliquer quoi ?

— Pourquoi je n'ai pas été prévenu de la mort de Christine. Et pourquoi vous m'avez effacé de la vie de Sandrine. »

Devant ce justicier, ce grand adolescent à la gueule d'ange méchant qui lui demande des comptes, M. Loisel perd ce qui lui reste de contenance.

« Vous... Vous avez vu la petite ? » bredouille-t-il.

Gilles fait « oui » de la tête, mais ajoute, presque amer :

« Rassurez-vous, je ne lui ai pas parlé... Je n'en ai pas eu le courage... Elle ignore qui je suis. »

Un peu calmé par cet aveu, M. Loisel reprend du poil de la bête, et hausse le ton :

« Pas question qu'elle l'apprenne, en aucune façon ! Ni que vous l'approchiez, d'ailleurs ! C'est une enfant...

— C'est MON enfant ! ! ! »

A nouveau, leurs regards s'arriment. Franchement ennemis, cette fois. Rivaux. Ce n'est plus le fantôme d'une morte qui s'est dressé entre eux, mais une petite fille bien vivante.

« JE VOUS CONSEILLE DE LA LAISSER TRANQUILLE ! » hurle Loisel à pleins poumons.

Piqué au vif, Gilles saute à bas de sa moto et empoigne le vieillard par le revers de sa veste.

« Vos conseils, vous pouvez les garder, OK ? Je n'ai plus vingt ans, et ils m'ont fait assez de mal comme ça, vos "bons conseils !" Ils ont détruit ma vie et celle de la femme que j'aimais ! »

La haine fait grimacer Loisel :

« Parlons-en, de votre amour ! Ah oui, parlons-en ! Drôle de façon d'aimer ! Vous avez abandonné Christine, Gilles ! Et quand Sandrine est née, vous n'étiez déjà plus là ! »

Un grondement sourd. Le motard secoue son adversaire :

« A qui la faute ? »

C'est un rictus qui lui répond, d'une ironie méprisante, insultante ; pire qu'une gifle !

« Décidément, vous n'avez pas changé ! Des propos d'irresponsable, une attitude de voyou... Allons, lâchez-moi ou je vous fais corriger par mes employés... »

Les aboiements de Tim soulignent la menace. Gilles desserre à regret son étreinte. Tout en remettant de l'ordre dans sa tenue, M. Loisel conclut, sur un ton cinglant :

« Écoutez-moi, mon garçon, et qu'il n'y ait plus à y revenir. Avant sa mort, Christine nous a confié Sandrine, à ma femme et à moi. Elle n'avait aucune confiance en vous. Alors, respectez au moins ses dernières volontés !

— Elle m'écrivait le contraire, dans ses lettres ! »

Un ricanement féroce échappe à M. Loisel :

« Des lettres vieilles d'il y a dix ans ! »

Le vieil homme serre les poings :

« Vous n'avez aucun droit sur Sandrine, vous entendez ? AUCUN ! Elle porte notre nom et nous sommes ses tuteurs légaux. C'est bien simple : pour elle, vous n'existez même pas ! »

Un coup de sifflet en direction de Tim qui accourt ventre à terre, et M. Loisel, plantant là Gilles médusé, fait volte-face et rejoint ses hommes.

« Qui c'était, ce type ? demande Louis d'un air méfiant.

— Rien, rien, ne t'occupe pas... Mais si tu le vois rôder dans les parages, avertis-moi. »

Debout à côté de sa moto, Gilles n'a pas bougé. Un bloc de glace, une statue de marbre. Le vent qui monte de la mer lui siffle aux oreilles, mais il ne l'entend pas. Des mots lui remplissent la tête, odieux et lancinants. Une phrase obsédante répétée, répétée, et répétée encore, cogne dans son cerveau comme des coups de marteau : « Pour elle, vous n'existez même pas ! Pour elle, vous n'existez même pas ! POUR ELLE, VOUS N'EXISTEZ MÊME PAS ! »

Avec un gémissement, il se comprime les tympans.

Mais une petite voix le tire de sa prostration. La voix d'un souvenir. Et que dit cette voix, interrompant l'horrible rengaine ?

Un mensonge. Le plus touchant, le plus tendre des mensonges : « Il me téléphone souvent d'Afrique ! »

6

Sandrine l'aperçoit tout de suite. Elle est en pleine marelle, pourtant, et sur le point de gagner la partie. Mais quelque chose en elle l'a avertie, l'a obligée à lever la tête, à regarder dans la bonne direction. Certains appellent ça de l'instinct, ou de l'intuition. Ou de la communication télépathique. Peu importe : c'était comme si, subitement, des antennes lui avaient poussé...

L'impression se vérifie. Pas de doute, c'est lui. Il est là, tout à côté, appuyé au grillage qui sépare l'école de la rue, à siffloter un petit air, son casque sur le bras.

Aussitôt, la fillette réagit. Elle abandonne Lucille en enfer, Julia au paradis, et traverse la cour à toutes jambes.

Dès qu'il la voit, Gilles s'arrête de siffler.

« Salut ! fait-elle, lui fonçant dessus.

— Salut ! »

Ils sont immédiatement sur la même longueur

d'onde. Pas besoin de parler, il leur suffit de se sourire.

Peut-être est-ce la magie du gri-gri? Ou une sympathie mutuelle, à cause des fossettes?

Autour d'eux, ça court, ça crie, ça joue, ça se bouscule : l'agitation et le boucan coutumiers des récrés. Plus loin, Novak et M. Benoît, l'instit de CP, discutent, en surveillant la cour.

« Alors, c'est ça ton école... constate Gilles. T'es contente, ici? Ils sont sympas, tes maîtres?

— Oui, oui et oui », répond Sandrine, de trois mouvements de tête.

Puis elle pose la question qui lui brûle les lèvres :

« Vous repartez quand, en Afrique? »

Il hausse les épaules en signe d'ignorance, puis s'accroupit, pour être plus à l'aise. Une conversation de haut en bas, c'est nul. Mieux vaut se trouver à la même hauteur, ça facilite la communication.

« J'en sais encore rien, ça dépendra...

— De quoi? »

Nouveau haussement d'épaules :

« Ce serait trop long à t'expliquer... Pourquoi tu me demandes ça?

— Parce que vous pourriez aller voir mon père! »

Tiens? Céline, une petite de CE1, vient de se casser la figure. Quel vol plané! A l'entendre hurler, elle doit avoir les genoux en sang. M. Benoît se précipite.

« Et je lui dirais quoi, à ton papa? demande Gilles, avec une drôle d'expression.

— Que j'aimerais qu'il revienne. »

Un silence. Gilles regarde droit devant lui, troublé.

Dans la cour, l'incident n'a même pas interrompu les jeux. M. Benoît, portant Céline qui pleure toujours, disparaît dans les bâtiments.

« Oui, bien sûr... » soupire Gilles.

Il a du mal à dominer son émotion, mais se ressaisit cependant, et poursuit d'un ton plus léger :

« ... mais il y a un hic : comment je ferai pour le reconnaître? Tu ne peux même pas me dire à quoi il ressemble. »

Avec une soudaine détermination, la fillette fronce les sourcils. Une vraie tête de fonceuse!

« Ce soir, à la maison, je fouillerai partout! » annonce-t-elle.

Tout à leur conversation, Gilles et Sandrine n'ont pas vu arriver Novak. Depuis un moment, pourtant, celui-ci les observait, perplexe. Il s'est décidé à intervenir.

« Vingt-deux! » a juste le temps de chuchoter Gilles.

Sandrine tourne le dos à la cour.

« Tu fais quoi, là, ma grande? » demande la voix de l'instit — une voix douce, sans colère, mais ferme néanmoins. (Même sympa, un prof reste un prof!)

Comme prise en faute, Sandrine tressaille et se retourne d'un bloc.

« Rien de mal, m'sieur ! proteste-t-elle, sur la défensive. On bavarde... (Montrant Gilles du doigt :) C'est un ami de mon papa ! »

Un court moment, l'instit détaille le grand ado qui lui fait face, avec sa dégaine de loubard et ses mèches dans les yeux. Celui-ci s'est redressé et le nargue tranquillement. Mais ses fossettes ont disparu.

« Ah bon ?... Bonjour, je suis l'instituteur de Sandrine. »

Pour toute réponse, Gilles se contente d'un grognement. Les profs, les flics, les patrons, tous ceux qui représentent l'autorité ou le pouvoir, il s'en méfie d'instinct... Question de « feeling » réciproque !

« Sandrine, va retrouver tes copines, c'est bientôt l'heure de rentrer ! dit Novak.

— Déjà ? (Regard éloquent à Gilles, de l'autre côté du grillage.)... Bon, ben... à bientôt ! »

Le motard la suit des yeux tandis qu'elle se fond dans la foule, puis il revient à Novak qui n'a pas bougé.

« Allez, tchao ! jette-t-il, s'apprêtant à partir.

— Attendez... Vous avez bien trente secondes ?

— Pour quoi faire ? Je croyais que c'était l'heure ? »

Sans se démonter, l'instit insiste :

« C'est vrai que vous connaissez son père, à la petite ? »

L'autre se raidit et riposte du tac au tac :

« Est-ce que je vous en pose, moi, des questions ? »

L'instit le toise quelques instants dans le blanc des yeux puis, sans s'emporter, il articule en détachant bien chaque mot :

« J'aimerais quand même savoir qui vous êtes ! »

Ostensiblement, Gilles lui tourne le dos. Et c'est par-dessus son épaule qu'il lance, avec un tutoiement goguenard :

« J'ai rien à te dire, moi, mon pote ! Je ne fais pas partie de tes élèves ! »

Avec sa désinvolture coutumière, il enfourche sa Trial. Le ronflement du moteur met un point final à l'entrevue.

Une fois la moto disparue, Novak revient, d'un air soucieux, vers ses élèves. Déjà, les rangs se forment devant les portes des classes.

« M'sieur ! M'sieur ! »

Sylvain, un petit noiraud vif comme un oiseau, le tire par la manche.

« Oui ? répond distraitement l'instit.

— Je le connais, moi, ce type ! Il travaille avec mon père ! »

Subitement intéressé, Novak s'arrête :

« Ah ? Qu'est-ce qu'il fait, ton père ?

— Il répare des bateaux.

— Et il y a longtemps qu'il l'emploie ?

— Non, juste quelques jours. Il paraît que c'est un crac dans les moteurs. Même qu'on lui prête la petite chambre au-dessus du garage, parce qu'il a pas encore d'appartement ! »

Le rang des CM1 est agité de remous. Jonathan, Marc et Frédéric, les rois du chahut, profitent du bref retard de leur professeur pour bousculer les filles.

Ça commence toujours par Lucille : normal, on la surnomme « Schtroumpf à lunettes ». Elle a si peur de casser ses binocles qu'elle braille pour un oui pour un non, et c'est un vrai bonheur de provoquer ce réflexe. Les garnements ne s'en privent pas !

Une poussée dans le dos; les cris prévus fusent. Hilarité générale. Lucille, projetée vers l'avant, atterrit sur Sabine, qui à son tour heurte Julia. Méchamment secouée, celle-ci se retourne, furieuse :

« Mais arrêtez, bande de nazes !

— Du calme ! » intervient Novak, en frappant dans ses mains.

Les rires et les protestations s'apaisent petit à petit.

Sandrine, elle, ne participe pas au massacre. Ni dans un camp, ni dans l'autre. Un peu à l'écart, elle rêve en solitaire, le front barré d'un pli.

Frédéric, son copain en titre, s'en rend compte. Délaissant sa bande de trublions, il l'attrape gentiment par la main.

« Ça va ? »

Elle se secoue, émerge de ses songes éveillés :

« Oui, pourquoi ?

— Tu as l'air toute triste !

— C'est à cause de vous : vous faites tout le temps les imbéciles, et ça m'énerve ! » ment-elle avec aplomb.

7

Les notes monotones s'égrènent lentement : « J'ai du bon tabac dans ma taba... tiè... re... J'ai... du... bon... ta... bac... » De plus en plus laborieuses, de plus en plus saccadées, jusqu'à l'arrêt complet.

Dans un dernier soubresaut, la boîte à musique se tait. Alors une petite main la prend, tire le cordon qui remonte le mécanisme, et la comptine repart, guillerette. Un peu trop rapide, même. « J'ai-du-bon-ta-bac-dans-ma-ta-ba-tiè-re... »

Quel bric-à-brac, dans ce grenier ! Sous une couche uniforme de poussière, combien de générations de Loisel ont entassé, ici, leurs épaves ? Meubles boiteux, bibelots ébréchés, malles emplies de vieilles fripes, de bouquins, de documents... Et ce mannequin sur lequel, jadis, quelque grand-mère ajustait ses robes... Et ce bassin de faïence, du temps où il n'y avait pas encore l'eau courante... Et ces cartes géographiques, ces compas, ces boussoles, témoignant d'un ancêtre voyageur... Et ce portrait sans visage : une femme assise, ravissante dans sa robe de dentelle, maniant gracieusement l'éventail, mais qu'une déchirure de la toile à l'emplacement de la tête décapite à jamais...

Seule trace de vie dans cet univers figé : la chansonnette mécanique qui à nouveau s'essouffle : « J'ai... du... bon... ta... bac... »

Assise en tailleur à même le plancher, Sandrine est plongée dans un album de photos. Elle a eu du mal à le trouver, mais à force de fureter, elle a fini par mettre la main dessus. Dans un coffre, au milieu de ses jouets de bébé et des affaires de maman, la couverture en faux croco bleu-roi est soudain apparue...

La fillette a le cœur qui bat. Elle tourne religieusement les pages, et sa mémoire se réveille.

C'était toujours après le bain que maman lui montrait ces photos. Elle l'enveloppait dans une grande serviette chaude, la prenait sur ses genoux et ouvrait le livre-aux-souvenirs.

Voici papy et mamy, beaucoup plus jeunes, tenant leur fille par la main. Ici, la communion de Christine. Comme elle était jolie, avec son voile blanc ! Et là, Christine à la distribution des prix. Il paraît que c'était une bonne élève. Et là, et là, et là, Christine en vacances à la mer, en pique-nique, à vélo, sur le carrousel de la fête foraine, dans le cortège du carnaval, déguisée en lutin...

Sandrine dévore les images. Elle a deux, trois ans à nouveau. La serviette éponge sent l'eau de

Cologne, et maman commente, rieuse, les épisodes de son propre passé.

Christine adolescente, avec son premier flirt : un petit Cédric en culottes courtes, qui lui arrivait à l'épaule. (A cet âge-là, les filles grandissent plus vite que les garçons !) Puis le voyage à Paris. Christine a dix-sept ans, elle monte dans le train. Comme elle est belle ! On dirait une star ! Sur le quai, papy et mamy lui font leurs adieux, et on dirait que mamy pleure... Puis une série de portraits devant la tour Eiffel...

Le cœur de Sandrine s'accélère. Elle tourne les pages de plus en plus vite. Maman va bientôt rencontrer papa. Le cliché suivant les montre tous les deux, si elle se rappelle bien...

Un choc. IL N'Y A PAS DE CLICHÉ SUIVANT. Rien qu'une trace plus claire, mais à peine, sur le papier blanc.

Après, on voit Christine enceinte. Un ventre semblable à celui de Mme Vasseur. Savait-elle, elle aussi, qu'elle attendait une fille ? Comme elle a l'air malheureuse... Peut-être aurait-elle préféré un garçon ? Ou pas de bébé du tout ?

Encore un blanc. Une trace toute petite, celle d'une photomaton. Un portrait de carte d'identité, ou de passeport...

Puis un berceau avec Sandrine dedans.

« Qu'est-ce que tu fais là, Arsouillette ? »

La fillette bondit. A-t-on idée de saisir les gens de la sorte ? Elle saute sur ses pieds et, serrant l'album sur son cœur, affronte son grand-père.

Il y a bien cinq minutes que celui-ci l'observe. Lorsqu'il est rentré vers cinq heures, pour goûter avec sa petite-fille, il a trouvé les tartines intactes et le bol de cacao refroidi. Étonné, il est monté dans la chambre de Sandrine; elle était vide. Alors il a cherché ailleurs, plus haut, à l'étage des souvenirs...

« J'ai du bon tabac dans ma tabatière... »

Alerté par la musiquette, il est entré sans bruit. Sandrine était si absorbée qu'elle n'a pas entendu le frôlement de son pas, ni le léger grincement du parquet.

« Je cherche des photos de mon père ! » répond-elle farouchement.

M. Loisel s'avance, conciliant, presque humble. Pour Sandrine, il a toutes les indulgences. Même ses insolences le charment. Telle qu'elle est là, sur la défensive, avec son minois hostile et son air de défi, elle ressemble tant à Christine !...

« Mais tu sais bien que nous n'en avons pas, Arsouillette !

— C'est pas vrai, t'es un menteur ! C'est toi qui les as enlevées ! »

Elle brandit en accusatrice les feuillets dépouillés :

« Regarde, il en manque plein ! Maman me les avait montrées, quand j'étais petite ! »

Apaisant, M. Loisel caresse les cheveux de sa petite-fille. Du même geste qu'il a avec Tim, quand celui-ci aboie.

« Pourquoi tu te fâches, ma chérie ? Tu ne

devrais pas te mettre dans un état pareil ! Il y a si longtemps que ces photos ont disparu, j'ignore où elles se trouvent... Mais je les chercherai, je te le promets ! »

Ce serment calme un peu Sandrine : les grandes personnes ne mentent jamais, c'est bien connu, surtout les grands-pères !

« Quand est-ce que tu les chercheras ?

— Dès que j'aurai le temps.

— C'est tout de suite que je les veux ! »

Il la prend dans ses bras, passe un doigt tendre sur les sourcils froncés, la narine encore palpitante, les lèvres qui exigent.

« Tout de suite ? Pour quelle raison es-tu si pressée ?

— Parce que... heu... »

Sandrine hésite une fraction de seconde. Va-t-elle parler de Gilles à M. Loisel ? La tentation l'effleure, mais elle la repousse aussitôt. Un obscur instinct l'avertit du danger. Prudence : cette vérité-là n'est pas bonne à dire.

« ... C'est pour le nouveau maître, on doit apporter une photo de nos parents.

— Quelle drôle d'idée ! Pour quoi faire ? »

Sandrine esquisse une moue d'ignorance.

« Je ne sais pas.

— Ce n'est pas grave, Arsouillette, tu lui diras qu'on ne les a pas retrouvées. Il ne va pas te punir pour si peu ! »

Un regain de colère soulève la fillette :

« Pourquoi, avec mamy, vous ne me parlez jamais de mon papa ? »

Le vieil homme a un soupir de lassitude.

« Vous ne l'aimez pas ? » insiste Sandrine.

— Pas trop, non... Alors on t'en parlerait mal, et tu serais triste... »

Il la reprend contre lui, l'embrasse.

« ... et moi, je n'ai pas envie que tu sois triste, Arsouillette. Parce que je t'aime, ma petite fée... Je t'aime plus que tout. Quand tu seras grande, tu comprendras... »

L'enfant se dégage, recule d'un pas. Regarde son grand-père bien en face :

« Et quand est-ce que je serai grande, papy ? »

A-t-il répondu ? Sandrine n'en jurerait pas. Il a juste marmonné quelque chose entre ses dents, mais elle ne sait pas quoi. Un ronchonnement de vieux, sans doute.

« Le plus tard possible... » a grommelé M. Loisel.

Mais franchement, c'était inaudible !

8

« Je veux y aller toute seule, à l'école ! Avec le car ! »

Papy et mamy ne sont pas de cet avis, lui surtout. Il a déjà son manteau sur le dos et ses clefs de voiture en main.

Dehors, la tempête fait rage. Même Tim rechigne à sortir.

« Tu risques de prendre mal, ma minette ! plaide mamy. Le temps d'arriver à la route, tu seras trempée : il pleut des cordes. Et ce vent ! Écoute-le mugir sous la porte, on dirait une horde de loups. Hou-hou, hou-hou ! (Elle met les deux index sur ses tempes comme des cornes, et roule des yeux féroces :) Hou-hou, hou-hou ! »

Les manœuvres de sa grand-mère, Sandrine les connaît par cœur. Elles sont destinées à détendre l'atmosphère. Imiter le loup-garou (ou la sorcière, ou l'ogre, ou le père Noël) est l'une des tactiques de Mme Loisel pour faire sourire sa petite-fille, quand celle-ci est de mauvaise humeur. Mais ça ne prend plus, Sandrine n'a plus cinq ans. Décidément, papy et mamy ne l'ont pas vue grandir!

« Je m'en fiche de la pluie, répond la fillette, je suis pas en sucre, je vais pas fondre!

— Voyons, Arsouillette, monter dans une voiture bien chaude, c'est tout de même plus agréable qu'attendre le car dans le froid! »

Sans doute, sans doute... Mais dans le petit bois, quelqu'un la guette, dissimulé derrière les fourrés. Quelqu'un qui sait des choses, qui connaît le pays où vit papa, qui a respiré le même air que lui, transpiré sous le même soleil... Quelqu'un qui, peut-être, le verra bientôt, et lui parlera de sa fille... Manquer son rendez-vous avec ce « quelqu'un-là » fend le cœur de Sandrine!

« Je préfère prendre le car, explique-t-elle, en désespoir de cause. Il y a tous mes copains dedans, et surtout Frédéric... »

Mamy esquisse un petit sourire complice :

« Ah! ton amoureux!...

— Eh bien, tu le retrouveras en classe! Allez, en route mauvaise troupe! Que ça te plaise ou non, Arsouillette, je te conduis! »

En grognant, Sandrine obtempère. Papy et mamy sont vraiment pénibles quand ils s'y mettent! On n'a pas idée de la couver de la sorte!

« Mets ta capuche! » recommande la grand-mère sur le pas de la porte.

Quand la Mercedes de M. Loisel traverse le petit bois, Sandrine colle son nez à la vitre. A travers les gouttes serrées qui strient le paysage, elle scrute l'ombre des buissons. A droite, à gauche... Personne.

Légère déception. Où peut-il bien être ?

Elle se traite mentalement d'idiote : à l'abri, bien sûr ! On ne traîne pas dehors par un temps pareil, même vêtu d'un blouson de cuir !

Un peu triste, elle se réinstalle au milieu de la banquette.

« Alors ? On n'est pas mieux ici que sous la flotte ? lui demande son grand-père, qui l'observe dans le rétroviseur.

— Si... » admet-elle.

Mais elle se reprend aussitôt :

« Quand même, avec Frédéric, c'est chouette, on se raconte des blagues pendant tout le trajet !

— Et alors ? Moi aussi, j'en connais, des blagues. Tiens, par exemple, celle du petit Chinois qui... »

Vrrrrrr...

Un bruit de moteur interrompt l'histoire. Une Trial de compétition vient de déboucher d'un chemin de traverse, et suit la Mercedes. Elle se rapproche, se rapproche, colle bientôt au pare-chocs arrière.

Un casque intégral noir, que l'averse assaille de plein fouet, protège tant bien que mal le conducteur.

« Qu'est-ce que c'est que ce chauffard ?... » grogne M. Loisel, qui l'a très bien reconnu.

La frimousse de Sandrine s'illumine. Elle s'agenouille sur son siège pour le regarder par la lunette arrière, lui fait « bonjour » de la main.

« Veux-tu bien t'asseoir convenablement ! » s'emporte son grand-père.

Elle fait semblant de ne pas l'entendre. Sur la route, le motard incline la tête pour la saluer. Elle redouble de signes.

M. Loisel élève la voix :

« Sandrine, tourne-toi immédiatement et mets ta ceinture de sécurité ! »

En maugréant, la fillette obéit.

« T'es franchement pas drôle, aujourd'hui ! » proteste-t-elle.

Papy ne répond pas. Il ne quitte pas son rétroviseur des yeux, et ses traits, reflétés par le petit miroir, sont si durs qu'on le reconnaît à peine. Lui, si doux d'ordinaire, arbore une expression féroce, mauvaise.

« Ma parole ! pense Sandrine, on dirait qu'il va mordre ! » Du coup, elle juge plus prudent de se tenir à carreau.

Dans un dernier vrombissement, la Trial se laisse distancer. Elle abandonne la poursuite, et emprunte bientôt une route adjacente. Alors, seulement, papy se détend.

« Donc, c'est un petit Chinois qui... »

Trop tard, l'école est en vue. Sandrine ne connaîtra jamais les aventures du petit Chinois.

D'ailleurs, elle s'en fiche.

Toute l'école est massée à l'abri du préau.

« A ce soir, ma chérie, je viendrai te rechercher ! » dit M. Loisel, abandonnant sa petite-fille qui court rejoindre ses copains.

Il la regarde s'éloigner, fait mine de redémarrer, puis se ravise et gagne à son tour le bâtiment scolaire.

Mme Laroque, la directrice — la quarantaine, chignon, lunettes et tailleur strict —, se trouve dans le hall d'entrée, en compagnie de l'instit et de M. Benoît. Il se dirige droit vers elle.

« Monsieur Loisel ! s'écrie-t-elle, tout sourire. Comment allez-vous ? »

Elle lui serre la main avec empressement, puis désignant Novak :

« Je vous présente notre nouvel instituteur... »

Les deux hommes se congratulent.

« ... M. Novak me demandait justement des précisions sur la famille de notre petite Sandrine, poursuit la directrice. Il la trouve un peu distraite, ces temps-ci. Je suis heureuse qu'il ait l'occasion de vous rencontrer, et de constater de visu à qui il a affaire. Je lui ai, bien entendu, vanté vos compétences en matière d'éducation !

— Ça tombe bien, je voulais justement vous voir, dit Loisel à Novak. Ne grondez pas la petite, je suis l'unique responsable. J'ai égaré les photos de son père...

— Pardon ? »

L'ahurissement de l'instit mettrait la puce à l'oreille de n'importe quel observateur un peu attentif, mais M. Loisel est trop préoccupé pour s'en apercevoir. Aussi reprend-il, avec une ironie forcée :

« C'est sans doute une nouvelle méthode pédagogique, mais je vous avoue que je n'en vois pas l'intérêt! Enfin, là n'est pas la question... »

Abandonnant l'instit à sa perplexité, il se tourne vers la directrice :

« ... Pourrais-je vous dire un mot en particulier, madame Laroque?

— Mais certainement! Venez dans mon bureau, nous y serons plus à l'aise... et plus au sec! »

Victor Novak reste seul, en compagnie de M. Benoît.

« Pas marrant, marrant, hein, le père Loisel! » s'exclame ce dernier, mi-sérieux, mi-amusé.

Sans tenir compte de la réflexion, l'instit donne libre cours à sa stupéfaction :

« Qu'est-ce qu'il me chante, avec ses photos et ses méthodes pédagogiques?

— ...?

— J'en aurai le cœur net! »

Il parcourt le préau des yeux, à la recherche de Sandrine, et finit par la repérer, en conversation animée avec Frédéric.

S'étant excusé auprès de son collègue, il rejoint la fillette et l'aborde de front : « Sandrine! J'ai deux mots à te dire! »

Pas vraiment à l'aise, l'interpellée laisse tomber son copain, qui va retrouver Marc et Jonathan.

« Je viens de parler à ton grand-père... » annonce l'instit.

D'un coup, le petit visage se ferme à double tour.

« ... et j'aimerais bien que tu m'expliques. C'est quoi, cette histoire de photo ? »

Sandrine est la championne de la dissimulation.

« Je sais pas, m'sieur... » répond-elle, le plus innocemment possible.

Quand Victor Novak sourit, il est irrésistible. Il fait passer dans ce sourire tant d'indulgence, de compréhension et de complicité qu'on ne peut que se sentir en confiance.

Le petit visage s'ouvre un peu, mais pas encore assez.

« Allons, ça ne prend pas ! insiste Novak. Dis-moi la vérité... Pourquoi as-tu menti ? »

Le ton « grand copain » a raison de la résistance de Sandrine.

« Je voulais retrouver les photos de mon papa, explique-t-elle, toute timide. Mon grand-père les cache, alors j'ai raconté un bobard... Vous ne lui direz rien, hein, m'sieur ?

— Non, bien sûr, mais... (Il fronce les sourcils d'un air incrédule)... je ne comprends pas trop... Pourquoi ton grand-père cacherait-il les photos de ton papa ? »

La réponse claque comme un coup de fouet :

« Parce qu'il ne l'a jamais aimé ! »

9

Le cours de géométrie n'est pas très apprécié, en général. Heureusement, Victor Novak sait rendre attrayante n'importe quelle matière. Ce n'est pas très difficile, il suffit de bien la présenter. Sous forme de jeu, par exemple.

Armés de leur rapporteur, les CM1 calculent fébrilement la somme des angles d'un triangle, dessiné sur leur cahier. C'est au premier qui trouve...

On dirait que Marc a gagné. Il fait un bond de grenouille, coassant à pleins poumons... et avec le nez bouché :

« B'sieur ! B'sieur !

— Oui ?

— 180 degrés, b'sieur ! »

Divers commentaires viennent confirmer sa réponse :

« Oui, j'ai la même chose !

— Moi aussi !

— Oh, l'autre ! Il va trop vite, on a pas le temps de finir !

— On vient à peine de commencer ! »

L'instit s'adresse à toute la classe :

« Vous êtes d'accord avec le chiffre de Marc ? Qui a trouvé 180 degrés ? »

Une dizaine de doigts se lèvent.

Derrière ses lunettes de Schtroumpf, Lucille ouvre des yeux éberlués.

« Toi, tu as un problème ! » constate Novak en s'approchant d'elle.

Lucille secoue la tête de haut en bas :

« Oh oui, m'sieur ! Ça fait trois fois que je recompte, et j'arrive pas au même résultat !

— Ah ? Combien as-tu ?

— Seulement 160 degrés... »

L'instit se gratte la tête avec un feint embarras :

« Ça alors ! s'exclame-t-il enfin, la mine admirative. C'est très intéressant, ma grande, ce que tu viens de découvrir ! Ça remet en question toute la géométrie ! »

Telle une coupable prise en faute, Lucille pique du nez sur sa table :

« Je l'ai pas fait exprès, m'sieur... » bredouille-t-elle.

Un grand éclat de rire salue sa repartie.

Au même instant, la porte s'ouvre et Mme Laroque entre en coup de vent. Tout le monde se lève dans un brouhaha de chaises.

« Vous pouvez vous rasseoir », dit la directrice d'un ton bref. Puis, s'adressant à l'instit :

« Excusez-moi d'interrompre votre cours, monsieur Novak, mais j'ai quelque chose d'urgent à dire à vos élèves. »

Vingt paires d'yeux interrogatifs suivent chacun de ses mouvements.

« Mes enfants, on me signale qu'un motocycliste que personne ne connaît a été aperçu plusieurs fois sur le trajet du car scolaire. Cet homme n'a peut-être aucune mauvaise intention, mais on ne sait jamais, mieux vaut être prudent. Si vous le rencontrez et qu'il vous adresse la parole, je vous demande expressément de ne pas lui répondre, et de me prévenir tout de suite. C'est bien compris ?

— Oui, madame ! » font vingt voix dociles.

Vingt ? Non, dix-neuf. Sandrine n'a pas ouvert la bouche.

« L'un de vous l'aurait-il vu, par hasard ? » poursuit Mme Laroque.

Un silence. « Non » font la plupart des têtes. Mais Frédéric se trémousse sur sa chaise, et finit par lever le doigt.

« Moi, m'dame !

— Ah ? Et où ça, Frédéric ?

— Ben... »

Le garçon s'interrompt soudain. Un coup de poing dans le dos vient de lui imposer silence. Ça, ça vient de Sandrine !

Frédéric se retourne, et un bref instant leurs regards se croisent. Dans les yeux de la fillette tournoie une vraie peur, dont il ne comprend pas la cause. Et aussi un ordre formel : tais-toi.

« Heu... Je...

— Eh bien ! je t'écoute ! » insiste la directrice.

Frédéric n'est jamais à court d'idées. Il s'en tire par une pirouette :

« Un inconnu à moto... ça doit être m'sieur Novak ! »

Toute la classe pouffe. Même l'instit se retient de sourire. Seule Mme Laroque n'apprécie pas la plaisanterie. Ses sourcils se froncent :

« Tu te crois drôle, Frédéric ?

— Non, m'dame, répond l'enfant, faussement confus. Excusez-moi, m'dame ? »

« Pourquoi t'as pas voulu que je lui dise ? »

C'est l'heure des règlements de compte. La récréation bat son plein, et Frédéric — à qui son amitié a failli coûter cher ! — prend Sandrine à partie.

Mais celle-ci n'est pas encline aux confidences.

« C'est même pas vrai, que tu l'as vu, le motard ! » affirme-t-elle, pour déstabiliser le curieux.

Ce dernier bondit :

« Bien sûr que si ! J'arrête pas de le voir. Ça fait au moins une semaine qu'il traîne tout près de l'arrêt du car. Même qu'il a une paire de jumelles ! (Scrutant le visage de sa copine :) Tu le connais ? »

Elle fixe le sol. Inutile de chercher à lui tirer les vers du nez, elle n'avouera rien.

« Si tu le connais pas, pourquoi tu le défends ? C'est peut-être un salaud, ce type, après tout !

— N'importe quoi! » crie Sandrine, indignée.

Oups! La réplique lui a échappé sans qu'elle réfléchisse. Voilà qui risque de mettre la puce à l'oreille de Frédéric...

En effet le garçon fronce son petit nez rond d'un air méfiant :

« Qu'est-ce que tu en sais? » Puis, après quelques instants de silence perplexe : « Dis donc, je te trouve un peu bizarre... Tu me cacherais pas quelque chose, toi? »

Du coup, Sandrine se trouble. Après ce demi-aveu, plus la peine de nier; autant vider son sac.

« Il vient d'Afrique », chuchote-t-elle, comme on confesse un merveilleux secret.

Frédéric en reste comme deux ronds de flanc :

« Mais... tu lui as parlé, alors? »

Elle hoche vigoureusement la tête, toute fière, soudain :

« Oui, plusieurs fois!

— Tu es complètement folle! Si jamais la dirlo l'apprend!!!

— Chut! »

Méfiance : depuis quelques instants, on dirait que Novak les épie. D'ailleurs, le voici qui s'approche.

« Attention! souffle la fillette entre ses dents. Et t'as pas intérêt à cafter, hein! »

Un clin d'œil complice la rassure. Tandis que Frédéric s'éclipse, l'instit s'adresse à Sandrine :

« Il y a quelque chose qui me tracasse, en ce qui te concerne... »

Elle bat des paupières, la mine parfaitement candide.

« ... le monsieur à qui tu parlais hier, tu le vois souvent ? »

Le battement de paupières devient papillonnant :

« Quel monsieur ? »

Novak n'est pas dupe de la comédie :

« Tu as très bien compris de qui il s'agit, mais s'il faut te mettre les points sur les "i", je peux le faire : l'ami de ton papa.

— Ah, lui ! Je n'y pensais plus... Oui, de temps en temps... On se rencontre, quoi !

— Il n'aurait pas une moto, par hasard ? »

Sandrine rougit violemment mais continue, envers et contre tout, à jouer son rôle de Sainte-Nitouche.

« Pourquoi... (Elle avale sa salive)... Pourquoi vous dites ça ?

— Une idée qui m'est venue... Je t'ai vue tout à l'heure, tu sais ! Pourquoi tu as fait signe à Frédéric de se taire ? »

Elle se raidit, fait front. Et, toute frémissante, elle attaque :

« Parce que... Parce que ce n'est pas lui, le rôdeur, d'abord ! Lui, il n'est pas méchant, vous entendez ! Il est gentil ! C'est un copain de mon père, et maintenant, c'est mon copain aussi ! »

Puis, plantant là Novak interloqué, elle s'enfuit en courant vers le fond de la cour où l'attend Frédéric.

10

« Merci, Sylvain ! » dit l'instit, serrant la petite pogne tachée d'encre.

Rendre service à son maître, c'est toujours chouette, surtout quand ça ne vous coûte rien : le garage est juste à côté de la maison !

« Il bosse là-dedans, précise le gamin, prêt à foncer vers l'atelier d'où parviennent des rumeurs confuses. Vous voulez que je le prévienne ?

— Non, je l'attends ici. M'est avis qu'il ne va pas tarder à sortir. File vite faire tes devoirs, et n'oublie pas : au futur simple, la première personne du singulier ne prend jamais...

— D's ! »

Ils rient tous deux, en étroite connivence. Puis le gamin s'éclipse avec une pirouette et Novak reste seul, à regarder les bateaux.

Le soir tombe tôt, en hiver. Il est à peine cinq heures, et déjà les ombres du crépuscule envahissent le port. La température a encore chuté, et si ça continue, il risque de neiger. L'instit marche de long en large, en tapant ses pieds sur le sol pour tenter de les réchauffer. Des volutes de buée s'échappent de sa bouche à chaque expiration.

Les cris des mouettes résonnent dans l'air glacé. Parfois, on dirait des miaulements. Massées sur les toits, dans les encoignures des fenêtres et aux fourches des branches mortes, elles protestent elles aussi contre les assauts du froid.

Dix minutes passent, interminables. Puis, venant du hangar, un ronflement de moteur s'élève, et le phare unique de la Trial troue la semi-pénombre, tel un gros œil safran.

L'intuition de Novak ne l'avait pas trompé. Cette moto-là, il en jurerait, va prendre le chemin des vignes et se poster sur le trajet du car scolaire. Sans hésiter, il lui barre le passage.

Arrivé à sa hauteur, Gilles ralentit, met pied à terre. Son casque est resté accroché au guidon de la bécane.

« Salut, l'instit ! jette-t-il négligemment. Qu'est-ce qui vous prend ? »

Ils se mesurent du regard, l'un gouailleur, l'œil provocateur sous sa tignasse blonde hérissée ; l'autre grave et préoccupé.

« Je suis inquiet... » dit Novak.

Gilles ne dissimule pas son impatience :

« Ah ?... Et en quoi ça me concerne... ? »

Lentement, en le fixant bien en face, Novak poursuit :

« ... Je suis inquiet à propos d'une petite élève à moi, qui semble un peu trop vous intéresser. Ça vous étonne ? »

Un soupir d'agacement échappe au motard :

« Holà ! où vous allez comme ça, mon vieux, avec vos insinuations ? Vous débloquez, faut arrêter la parano ! Elle ne risque rien avec moi, la petite ! Mais alors là, rien, rien, et moins que rien ! ! ! »

Certains accents de sincérité ne trompent pas. Ébranlé, Novak se radoucit :

« Répondez-moi franchement : c'est vrai que vous connaissez son père ? »

D'un pied nerveux, Gilles lance son démarreur. Cette inquisition l'horripile au plus haut degré. Un instant, la pétarade réduit les deux hommes au silence.

« Qu'est-ce que ça peut vous faire ?

— Je vais vous le dire : il y a des choses avec lesquelles on n'a pas le droit de jouer. Les sentiments par exemple, et ceux des enfants en particulier. Elle est fragile, cette gamine, la vie ne l'a pas gâtée : sa mère est morte d'un cancer quand elle avait quatre ans, et elle n'a jamais vu son père. Mais elle y pense, apparemment. Elle y pense même beaucoup. Elle s'est fabriqué une image de lui et s'y raccroche. En vous immisçant dans ses rêves, vous pouvez lui faire beaucoup de mal. Alors... »

L'instit hausse le ton, et d'une main il attrape le revers de cuir du Perfecto. Le geste n'est pas menaçant, mais pressant plutôt. Anxieux. Un geste qui sollicite, qui interroge, pas une agression. Gilles, bien qu'il soit hors de lui, ne s'y trompe pas. Mais ça ne l'empêche pas de persifler :

« Alors ?

— ... alors, vous me répondez par oui ou par non, et je vous laisse tranquille ! »

Le motard enclenche sa première :

« La réponse est oui. Son père, je le connais même très bien ! » jette-t-il avant de démarrer en trombe.

11

Ce sujet de rédaction-là a enthousiasmé Sandrine. Elle s'y est plongée de tout son cœur, et sans vouloir se vanter, ça en valait la peine : le résultat dépasse ses espérances. D'ailleurs, l'instit est de cet avis aussi. Sinon, pourquoi lui aurait-il mis un dix-huit ?

Et surtout, pourquoi lui aurait-il demandé de lire sa copie tout haut devant toute la classe ?

Être assise à la place du prof, c'est assez impressionnant. On se trouve en hauteur par rapport aux copains, et tous les yeux sont braqués sur vous. Un petit frisson au creux des omoplates, Sandrine sent poindre la panique.

Et cet idiot de Frédéric qui lui fait des grimaces ! Du bout de l'index, il se retrousse le nez comme un groin de cochon. Qu'il est laid ! Elle s'empresse de regarder ailleurs : si elle prend un fou rire, ce sera le pompon !

« Nous t'écoutons, ma grande ! » dit Novak qui, pour la circonstance, s'est installé à côté de

Lucille. Ça fait drôle de le voir assis au milieu des élèves : il est tellement grand que Lucille ne lui arrive même pas à l'épaule.

Bon, quand il faut y aller, il faut y aller. Sandrine se racle la gorge, tousse pour s'éclaircir la voix, et ouvre la bouche. Mais rien ne sort. Fichue timidité !

« Elle est devedue buette ! pouffe Marc.

— Mais non, rétorque Jonathan, elle a juste avalé sa langue ! »

Quelques rires fusent, que l'instit fait taire aussitôt en frappant dans ses mains. Les pommettes de Sandrine brûlent comme deux braises.

« Je sais bien que c'est impressionnant de prendre la parole en public, dit Novak, compréhensif. Mais tu verras : c'est le premier mot qui coûte, après ça va tout seul. »

« On dirait que je serais au bord d'une piscine, et qu'il faudrait que je plonge dedans », pense Sandrine de toutes ses forces. Et plouf, elle se jette à l'eau.

« Racontez un de vos rêves », ânonne-t-elle.

C'est vrai que le premier mot est le plus dur. Une fois la machine en route, ça devient beaucoup plus facile. A mesure qu'elle lit, son ton se raffermit.

Ses camarades, captivés, se tiennent tranquilles. On entendrait voler une mouche (et même un moucheron !) s'il y en avait à cette saison.

« ... Tout à coup, les moteurs se sont arrêtés et l'avion est tombé comme une grosse pierre. Moi, j'ai fermé les yeux tellement j'avais peur. Quand je les ai rouverts, l'avion s'était posé comme un papillon sur une petite île perdue au milieu de la mer. Mais tous les passagers avaient disparu, j'étais toute seule... »

Maintenant, Sandrine se sent complètement à l'aise. Ses copains, elle a presque oublié leur présence. Elle revit son rêve, et ça la fait sourire en parlant.

« ... Alors j'ai vu le visage d'un homme à travers le hublot. Il me parlait, mais je n'entendais pas ce qu'il disait. C'était un explorateur. Il ressemblait à Robinson Crusoé. »

Elle s'arrête et relève la tête. Pas un bruit dans la classe. Tout le monde attend la suite.

Mais la suite ne vient pas.

« Et après ? » demande Julia, en retirant son pouce de sa bouche avec un « mop » mouillé. (Dès que Julia est attentive, elle suce son doigt en tournicotant une mèche de cheveux, juste au-dessus de l'oreille. C'est une manie de bébé dont sa mère, malgré tous ses efforts, n'est pas encore arrivée à la débarrasser.)

Sandrine a une moue d'ignorance :

« Le réveil a sonné, alors je sais pas !

— Ça, c'est dommage !... Elle est très bien, ta rédaction ! la félicite Novak. On aurait aimé qu'elle continue. N'est-ce pas, vous autres ? » ajoute-t-il en se tournant vers la classe.

Approbation générale, que la cloche du préau interrompt.

« Déjà ? s'exclame Novak. Allez, tout le monde dehors ! »

Pas besoin de le répéter ! Cartables et manteaux entrent en danse. Dans la joyeuse bousculade des fins d'après-midi, les murs du CM1 se vident. Bientôt, la volée de moineaux s'égaille dans la rue.

Frédéric et Sandrine arrivent bons derniers. Ensemble, comme toujours. En bavardant, ils se dirigent vers le car scolaire, stationné devant le portail.

Un secret espoir tenaille la petite fille : que son grand-père ait oublié de venir la chercher.

Coup d'œil furtif aux alentours ; espoir déçu. Il est là et bien là, un peu en retrait, debout à côté de la Mercedes. Et ça fait huit jours que ça dure ! Plus moyen de faire trois pas sans lui.

« Quel pot de colle ! » pense hargneusement Sandrine.

L'exclamation de Frédéric la ramène sur terre :

« Tu as vu ? Il est là, ton copain le motard ! »

Un choc au creux de l'estomac. C'est vrai qu'il est là, à quelques mètres de papy, nonchalamment appuyé à son guidon, le casque passé autour du bras. Il arbore un petit air de défi, au milieu des parents venus attendre leurs gosses.

Sandrine s'est arrêtée. Elle observe tour à tour ces deux hommes, qui sont ici pour elle. Ces deux hommes qui ne se connaissent pas (elle le croit, du moins). L'un, le vieux, a sa mine inquiète des mauvais jours, et le teint jaune. Il paraît indécis, mal à l'aise. L'autre, par contraste, semble encore plus décontracté.

Attirée comme par un aimant (les yeux rayons laser auraient-ils des pouvoirs hypnotiques ?), c'est vers le motard que se dirige Sandrine. Il la regarde venir, et sourit. Elle répond à son sourire. Leurs fossettes si semblables se creusent.

C'est tout à fait comme lui qu'elle imagine Robinson Crusoé. Avec des cheveux blonds tout fous et ce sourire-là, exactement. Un vrai sourire d'aventurier.

Mais une voix familière et sèche rompt la magie :

« Sandrine ? Alors, tu viens ? »

Papy ressemble à un réveil : quand il sonne, ça dissipe les rêves !

« J'arrive ! » soupire la fillette. Et la tête basse, la mine sombre, elle le rejoint, le plus lentement possible.

12

Mme Loisel est une grand-mère comme en voudraient tous les enfants. Non seulement elle fait les meilleurs gâteaux de la terre, mais en plus, elle est d'une indulgence à toute épreuve. Jamais elle ne se fâche, jamais elle ne gronde, et elle possède un fabuleux répertoire de mots tendres qui ravissent sa petite-fille. « Ma colombe, mon lapin bleu, ma petite fée, ma zoupinette », et j'en passe...

En général, Sandrine adore cette sollicitude un peu bébête, même si parfois mamy semble oublier qu'elle a grandi. C'est toujours agréable d'être « le lapin bleu » de quelqu'un ! Mais aujourd'hui, la fillette n'est pas à prendre avec des pincettes.

« Mange au moins une tranche de cake, ma bibiche ! se désole la vieille dame, devant le goûter intact.

— J'ai pas faim ! »

C'est la faute à papy. Pourquoi faut-il qu'il

l'accompagne tous les jours à l'école, alors qu'elle se débrouille très bien sans lui?

Avec ça, plus moyen de voir Robinson Crusoé! Il y a au moins huit jours qu'elle n'a pas mis les pieds dans le petit bois!

Mais au fait...

« Je peux aller jouer dehors, mamy?

— Pas question! Il fait trop froid! »

Une bise glaciale balaie la montagne, secoue les carcasses d'arbres, éparpille les tas de feuilles mortes que le givre rend cassantes comme du verre, et fait grincer barrières et volets. Même Tim est dégoûté, et préfère rester au coin du feu que gambader dans la nature. Pourtant, c'est un vagabond dans l'âme, cet animal-là!

« J'enfilerai ma doudoune! » insiste Sandrine.

Robinson Crusoé l'attend dans le petit bois, elle en est convaincue. Et lui aussi doit avoir drôlement froid! Surtout qu'il est habitué au soleil de l'Afrique...

« Ttttt, répond grand-mère avec un bon sourire. Va plutôt mettre ta petite robe bleue!

— Je suis très bien en jean's!

— Ta robe te va mieux!

— Mais mamy, pourquoi tu veux que je me change à cinq heures du soir? »

La vieille dame prend une mine de conspiratrice :

« Si je te dis un secret, tu ne le répéteras pas à papy?

— Promis! fait Sandrine, subitement curieuse.

— Tout à l'heure, il va t'emmener au cinéma voir *Le roi Lion*. C'était une surprise, mais... »

La réaction de Sandrine coupe bras et jambes à mamy : au lieu de sauter de joie, la voilà qui se renfrogne :

« Je veux pas y aller ! »

Refuser un dessin animé ! De mémoire de grand-mère, ça ne s'est jamais vu !

« Mais... qu'est-ce qui te prend, ma chérie ?

— Je veux pas y aller, c'est tout ! »

Rien qu'à l'idée de remonter en voiture et de passer deux heures en tête-à-tête avec son grand-père, Sandrine a envie de grincer des dents ! Sans compter Robinson, qui est sûrement en train de se geler en faisant les cent pas sous les noisetiers.

« Je préférerais aller faire un tour à vélo, mamy ! »

Mamy, pourtant conciliante par nature, ne se laisse pas fléchir.

« Voyons, mon bébé, réfléchis ! Ce sera si amusant ! Après, vous irez acheter un grand sapin de Noël, et ce soir, on le décorera ensemble, tous les trois. »

Tous les trois ! Tous les trois ! TOUJOURS TOUS LES TROIS ! Toujours avec papy, avec mamy, et personne d'autre !

Une flambée de colère embrase la petite fille. Quelque chose de si violent, de si inattendu, qu'elle en perd son sang-froid. D'un coup de pied rageur, elle envoie valdinguer un tabouret à l'autre bout de la pièce.

« Je m'en fiche pas mal, du sapin ! hurle-t-elle. Et je m'en fiche de Noël ! Tous mes copains, Noël, ils le passent avec leur père et leur mère ! Et moi, ma mère, elle est morte ! Et mon père, vous voulez même pas me dire qui c'est ! Vous êtes méchants, méchants ! Je vous déteste ! »

Les larmes lui montent aux paupières, et sa voix s'étrangle à mesure qu'elle parle. A la fin, ce n'est plus qu'un pauvre petit cri enroué. Le cri de détresse d'une orpheline, pour qui la vie a été vraiment vache.

Là-bas, sous les noisetiers, sûrement, quelqu'un l'attend. Quelqu'un qui, lui, au moins, lui parlerait de son père...

Mais elle n'a pas le droit de sortir !

Avec un sanglot rauque, elle se rue vers sa chambre. Suffoquée par ce qui vient de se passer, Mme Loisel reste toute seule, les bras ballants, au milieu de la cuisine. Si triste qu'elle ne songe même pas à ramasser le tabouret !

A plat ventre sur le lit en désordre, Sandrine pleure tout son saoul. Mais une fois le premier flot passé, elle se redresse. Coincé entre sa poitrine et le traversin, un objet dur lui meurtrit les côtes... Qu'est-ce que c'est ? Ah oui, le gri-gri africain ! Elle le sort de sous ses vêtements et reste à l'examiner, à travers un trouble écran de larmes.

« Tant que tu le porteras, a dit Robinson, rien de mauvais ne peut t'arriver. » Elle y écrase les lèvres, de toutes ses forces.

⁂

L'histoire du *roi Lion* se passe en Afrique. Alors, finalement, Sandrine a accepté d'aller le voir. Même, elle a mis sa robe bleue. Et elle a aidé papy à porter le sapin.

Le film était super, grand-père et petite-fille se sont bien amusés.

Mais mamy a eu le cafard toute la soirée.

13

S'il y a quelqu'un qui envie Sandrine, c'est bien Frédéric ! Parce que lui, qu'il pleuve, qu'il vente, qu'il neige, personne ne vient le chercher en voiture : ses parents sont bien trop occupés !

En descendant du car scolaire, le garçon enveloppe le paysage d'un regard navré. Affronter *ça*, ce n'est pas la joie ! Non seulement il fait un froid polaire, mais le brouillard est tombé. Un lourd brouillard crépusculaire, aussi opaque que de la fumée. La montagne tout entière semble s'être tissé un cocon, comme les chrysalides du cours de bio.

Brrrr ! D'un geste décidé, Frédéric relève son col, puis fonce dans la purée de pois. Pour se donner du courage, il fredonne un petit refrain. Quand même, si Sandrine était là, le trajet serait moins pénible !

Une, deux, une, deux. Les jambes de Frédéric s'agitent en cadence, au rythme de la chanson. Plus vite il marchera, plus vite il sera rentré.

On n'y voit pas à un mètre devant soi. Et sur les bas-côtés, c'est aussi flou que Canal+ codé ! N'importe quel monstre pourrait se tapir là-dedans et vous bondir dessus quand on ne s'y attend pas. Des dinosaures, ou des gorilles, ou pire encore. King Kong, par exemple.

Une ombre gigantesque surgirait de la brume, juste derrière Frédéric. Une main de la taille d'un camion se tendrait. Bien entendu, Frédéric ne se méfierait pas : dans ce brouillard à couper au couteau, impossible de repérer l'ennemi ! D'autant que les créatures maudites sont toujours silencieuses, pour surprendre leurs victimes. C'est ce qui fait leur force. Pareil pour les extraterrestres !

Bref, la main de King Kong attraperait Frédéric et l'emporterait dans les airs. Il aurait beau appeler au secours, se débattre, rien à faire. Il monterait, monterait, prisonnier des énormes doigts. Et soudain, au-dessus de lui, apparaîtrait la face du monstre. Une face abominable, plus grande qu'un immeuble et horriblement grimaçante. Avec des dents de requin et de gros yeux lumineux, qui le regarderaient férocement.

Alors le monstre approcherait Frédéric de sa gueule. Frédéric hurlerait, se débattrait comme un possédé. La gueule s'ouvrirait, gouffre noir et humide. Et on verrait les dents briller, comme de longs couteaux sous la lune....

Se faire peur à soi-même, il n'y a rien de plus facile. Le ventre comprimé par la frousse, Frédéric presse le pas. Il court presque, maintenant, bien qu'il sache que c'est inutile : les monstres sont mille fois plus rapides que nous, et ils n'ont aucun mal à nous rattraper, même si on est champion de course à pied.

Peu importe, ça rassure. Et puis, il sera plus vite chez lui.

Soudain, il se fige. Un bruit vient de percer la brume.

Cette fois, ce n'est plus du fantasme, il en est certain. Il a *vraiment* entendu quelque chose. Une sorte de ronflement, venu des profondeurs du soir.

Panique. Le ronflement augmente, puis un gros point jaune apparaît. Un œil? L'œil meurtrier de King Kong?

Non, un phare de moto.

Le ventre de Frédéric pèse une tonne. Il a les jambes en coton. La moto s'approche. Elle est d'une taille ordinaire, et conduite par un être humain pas spécialement menaçant.

Parvenue à la hauteur de Frédéric, elle s'arrête. Le conducteur retire son casque. C'est une vieille connaissance.

Un type blond, plutôt sympa. D'après Mme Laroque, on n'a pas le droit de lui adresser la parole. Mais c'est un copain du père de Sandrine, alors...

« Salut! dit le motard.

— Salut, répond Frédéric, à la fois soulagé et déçu.

— Tu as passé une bonne journée?

— Bof, on a fait du foot... »

La moto roule au pas, pour escorter le garçon qui a repris sa route. Tout compte fait, Frédéric est ravi de l'aubaine. Avec ce compagnon, rien à craindre de King Kong!

Le motard sourit. Aux deux coins de sa bouche, des petits trous se creusent. Exactement les mêmes fossettes que Sandrine!

« J'adore le foot! dit-il avec chaleur. Il y a quelques années, j'étais avant-droit!

— Moi, je préfère le basket!

— Oui, pourquoi pas... Tu en fais? »

Frédéric hausse les épaules. Ça, c'est sa vieille frustration de toujours!

« Je peux pas, je suis trop petit! »

Sa mimique désappointée amuse le motard, qui éclate d'un rire franc et joyeux de gamin :

« Mais tu vas grandir, banane! Tiens, je parie que d'ici cinq ou six ans, tu nous friseras le mètre quatre-vingt-dix! »

Frédéric, qui ne demande qu'à se laisser convaincre, lui jette un regard plein d'espoir :

« J'aimerais bien... », murmure-t-il.

On arrive en vue du carrefour. Le motard tire une enveloppe de sa poche :

« Dis donc, tu ne voudrais pas me rendre un petit service? »

Frédéric s'arrête, sur la défensive :

« Ça dépend, qu'est-ce qu'il faut faire?

— Demain, en classe... Tu peux donner cette lettre à Sandrine? »

Comme il lui tend l'enveloppe, le garçon a un mouvement de recul. Dans quelle histoire louche cherche-t-on à l'entraîner ? Oh, ça ne lui plaît pas, mais alors pas du tout ! Finalement, Mme Laroque a peut-être raison : ce type-là n'est pas très clair...

« Ben, heu... J' sais pas... » lâche-t-il, très embarrassé.

Le motard le considère un instant en silence, un léger sourire aux lèvres.

« Ne t'inquiète pas, murmure-t-il très doucement, il n'y a aucun problème.

— Sûr ?

— Certain ! »

Les fossettes du motard confirment. Elles respirent la tendresse, l'innocence. Des fossettes pareilles ne mentent pas !

« Bon, d'ac ! consent Frédéric, en glissant la lettre sous son anorak.

— Merci, dit le motard, à bientôt... »

Le moteur vrombit, l'avant de la Trial se soulève et elle démarre sur la roue arrière. C'est aussi fabuleux qu'un cheval qui hennit et se cabre, avant de partir au galop. Frédéric reste subjugué.

« Wah, l'autre ! » s'émerveille-t-il.

Très vite, le brouillard avale le cavalier et sa monture d'acier. Mais de loin, dominant la pétarade, une voix parvient à Frédéric :

« Pour le basket, tu n'as qu'à manger de la soupe ! »

Puis le silence se referme. Heureusement, la maison n'est qu'à quelques mètres. Surplombant la route, sa silhouette fantomatique se dessine, trouée par le halo des fenêtres éclairées. Un havre rassurant dans cet univers de coton.

Tournant le dos aux séduisants effrois de l'ombre, Frédéric s'élance. Et c'est en trombe qu'il franchit le portail.

14

« M'sieur ! M'sieur ! Vous vous êtes trompé ! »

Le petit nez de Lucille se tend effrontément vers le tableau, où Novak vient d'inscrire les deux premières strophes du *Dormeur du val.* Surpris, l'instit se relit à mi-voix. Où a-t-il bien pu faire une erreur ?

« C'est un trou de verdure où chante une rivière
Accrochant follement aux herbes des haillons
D'argent ; où le soleil, de la montagne fière,
Luit : c'est un petit val qui mousse de rayons.

Un soldat jeune, bouche ouverte, tête nue,
Et la nuque baignant dans le frais cresson bleu... »

« Là ! » l'interrompt Lucille.

L'instit écarquille les yeux.

« Il n'y a pas de faute ! proteste-t-il.

— Ben, si ; vous avez marqué "cresson bleu", mais c'est pas bleu, le cresson, c'est vert ! »

Novak hoche la tête, et fait mine d'applaudir sa jeune élève :

« Excellente observation, Lucille », apprécie-t-il.

Puis, s'adressant à toute la classe :

« Vous êtes tous d'accord avec Lucille, n'est-ce pas ? Le cresson est bien vert !

— Oui, oui », font quelques voix.

Sylvain pousse Marc du coude :

« C'est quoi, du cresson ? demande-t-il.

— Ben, de la salade, andouille ! Tu sais pas ça ? »

L'autre fait « non » avec énergie :

« Chez moi, on mange tout le temps des pâtes, ma mère a horreur des légumes !

— D'après vous, reprend l'instit, pourquoi Arthur Rimbaud a-t-il écrit : "le cresson bleu" ?

— Peut-être qu'il était daltonien ? suggère Frédéric.

— T'es gogol, toi ! s'écrie Julia, l'index vrillant sa tempe. Les daltoniens, le vert, ils le voient rouge, hein, m'sieur ! »

Novak l'arrête d'un geste :

« Là, on fait fausse route. Et d'un, Rimbaud n'était pas daltonien. Et de deux, les daltoniens ont simplement du mal à discerner les couleurs... »

Pendant que l'instit parle, Frédéric se retourne vers Sandrine. Le menton dans la paume, elle suit attentivement le cours. D'un tempérament vif et curieux, elle est plutôt bonne élève, dans l'ensemble. Tout l'intéresse, surtout le français.

« Sandrine... chuchote-t-il.

— Quoi ?

— Ton copain motard m'a donné un truc pour toi ! »

Le garçon fait glisser l'enveloppe de sa poche jusqu'au banc.

« Revenons à nos moutons, ou plutôt à notre cresson, dit l'instit. Rimbaud n'était pas daltonien, mais poète. Souvent, les poètes transforment la réalité. Les choses qu'ils décrivent n'existent pas "pour de vrai", mais c'est ainsi qu'ils les ressentent...

— Quand on est poète, alors, on peut dire n'importe quoi ? » s'indigne Jonathan.

D'une main preste, Sandrine escamote le billet. Elle est devenue si rouge que même un daltonien s'en apercevrait !

« Pas exactement, rectifie Novak. Tenez, c'est un peu comme la peinture. Vous vous rappelez, hier vous deviez dessiner votre maison. Certains ont mis des murs verts, des tuiles orange, des arbres roses. Est-ce que ça correspondait aux vraies couleurs ? »

Au premier rang, Julia hoche la tête de droite à gauche. « Mop » fait son pouce en sortant de sa bouche.

« Moi, mon immeuble, il est jaune, et je l'ai fait violet sur le dessin, avoue-t-elle.

— Ah, dit Novak, intéressant ! Et pourquoi ? Parce que tu trouvais ça plus joli ?

— Non, parce que j'avais pas de feutre jaune ! »

L'instit est le premier à éclater de rire, bientôt suivi par toute la classe. Profitant du brouhaha,

Sandrine, les doigts tremblant d'impatience, ouvre l'enveloppe.

« Alors, on est tous des poètes ? conclut Sylvain.

— Un petit peu, oui.

— Ça, c'est génial ! »

Le regard de Novak survole les têtes levées vers lui, et s'arrête sur Sandrine. Elle semble à mille lieues de la leçon.

Penchée vers son bureau, ses mèches blondes dégringolant devant son visage, elle déchiffre le billet de Gilles.

« Sandrine, que fais-tu ? » l'interpelle l'instit.

Prise en flagrant délit, la petite fille se rétracte comme un escargot que l'on touche, et tente maladroitement de dissimuler son trésor.

« Qu'est-ce que c'est que ce papier ? demande l'instit, sans agressivité mais avec fermeté. De la poésie, j'espère ? »

Quand la panique vous tombe dessus, on perd tout esprit de repartie. C'est à peine si Sandrine parvient à ouvrir la bouche.

« Je... je sais pas... On vient... de me le passer... bredouille-t-elle, au supplice.

— Bon ! Eh bien, tu vas nous le lire à haute voix, comme ça tout le monde en profitera, et ça évitera qu'il circule derrière mon dos ! »

Sandrine étouffe un cri : tout, mais pas ça !

En un dixième de seconde, elle imagine l'indignation du prof, les ricanements de la classe, les ragots ignobles, la convocation chez la directrice. Quelle épouvante ! Plutôt s'évanouir !

S'évanouir ? Oui, bonne idée...

Elle essaie, fermant désespérément les yeux, retenant sa respiration comme Pépé dans *Astérix en Hispanie.* Rien à faire, elle est toujours là...

Entre-temps, l'instit s'est approché d'elle. Il la domine maintenant de toute sa stature.

« Donne-le-moi, dit-il, je le lirai moi-même. »

Pétrifiée, Sandrine obéit. Mais la main qui tend le billet est glacée.

Novak déplie le papier, le parcourt. Et pâlit.

« *Sandrine, j'aimerais bien te revoir. Je t'attendrai ce soir à l'endroit où tu es tombée le premier jour. Ton copain le motard.* »

Une seconde de flottement. Pas un bruit. Les CM1, suspendus aux lèvres de leur professeur, attendent la sentence. Sandrine, figée, grelotte. Frédéric ne vaut guère mieux. Novak, quant à lui, semble avoir froid dans le dos. Une bombe éclaterait dans la classe que ça n'étonnerait personne.

« Ah, d'accord ! » dit enfin Novak.

Il s'est ressaisi, et feint une colère bon enfant.

« Très malin, vraiment ! Je me demande qui est l'auteur de ce chef-d'œuvre ! (Il fait semblant de lire :) Alors nous avons : Victor-tue, bof, pas terrible. Victor-chon, Victor-ticolis... »

Quelques élèves pouffent, mais discrètement. Dans un cas pareil, on n'est jamais très sûr de la réaction des profs ! Il y en a qui rient. C'est rare. D'autres punissent — beaucoup plus courant ! Il y en a même qui font les deux, et ça, c'est les pires !

« ... Ah, tiens. Pas mal ! s'exclame Novak, continuant sa comédie. Victor... tillard !

— Il y a aussi Victor-gnole ! » lance Frédéric, qui commence à se sentir mieux.

Cette fois, toute la classe s'esclaffe.

« Bon, après cet intermède humoristique, si nous reprenions la leçon ? » conclut Novak, le plus naturellement du monde.

La particularité des mauvais moments, c'est qu'ils finissent toujours par s'arrêter. Et souvent plus tôt qu'on ne le pense. Dépositaire du secret, l'instit n'a pas trahi. Et il ne trahira pas, Sandrine en est certaine. Elle l'a lu dans ses yeux, tandis qu'il empochait le billet.

Du coup, transfigurée par le soulagement, elle s'empresse de participer activement au cours.

« ... Rimbaud n'a plus écrit de poèmes après son adolescence, dit Novak. A vingt ans, il est parti pour l'Afrique. Peut-être préférait-il découvrir de nouvelles choses plutôt que de les imaginer ?

— M'sieur, m'sieur ! »

Sandrine lève le doigt à s'en dévisser le bras.

« Oui, Sandrine ?

— Qu'est-ce qu'il est allé faire en Afrique, Arthur Rimbaud ? »

L'instit a un geste d'ignorance :

« On ne sait pas trop. Il est devenu aventurier...

— Et... (la fillette avale sa salive ; ça fait un petit bruit mouillé en passant.) ... après, il est revenu ? »

Novak regarde Sandrine. Sandrine regarde Novak. Ils se comprennent. Entre eux, il y a ce billet, Rimbaud, Robinson Crusoé, et d'autres choses encore. Des choses dont ils n'ont jamais parlé, mais que leurs yeux se confient. Une histoire de papa, entre autres...

« Oui, Sandrine, je crois bien qu'il est revenu... »

15

Derrière Gilles, un bruit de branches cassées. Il tressaille, se retourne avec un sourire, ses jumelles à la main. Puis son sourire se fige. Un nuage passe devant le soleil.

Il attendait une fillette, et que voit-il venir ? Une sorte de justicier, brandissant un papier froissé : la lettre de Sandrine.

Dans le petit bois glacé, balayé par la bourrasque, les deux hommes se défient en silence. Gilles est le premier à parler :

« Ah, d'accord... dit-il lentement. On a court-circuité la petite !

— Exact ! »

Novak reste impassible. Pas un muscle de son visage ne bouge. En revanche, une grimace de dépit tord la bouche de Gilles. Plus l'ombre d'une fossette dans ce visage trop pâle, mais des lèvres serrées, très blanches, dont les coins tremblent.

« Vous leur faites les poches, à vos élèves ? Pas

joli joli, comme méthode ! C'est quoi, votre job, instit ou flic ??? »

Gilles crache par terre, puis se dirige vers sa moto garée un peu plus loin. Il n'a pas l'intention de poursuivre. Déjà, un rendez-vous manqué, c'est difficile à encaisser, mais qu'en plus un salaud se permette de vous demander des comptes, là, ça devient intolérable !

A l'instant où il enfourche sa Trial, Novak le retient par le bras.

« Un instant, mon vieux, vous n'allez pas vous en tirer comme ça ! »

L'autre s'ébroue hargneusement :

« Pas touche, mec !

— Expliquez-vous une fois pour toutes, reprend l'instit sans se laisser démonter. A quoi rime votre manège ? Vous êtes sans cesse à tourner autour de cette gosse, vous l'observez à la jumelle, vous lui donnez des rendez-vous clandestins... Qu'est-ce que vous lui voulez, à la fin ?

— Allez vous faire voir ! Et mêlez-vous de vos oignons ! »

Cette fois, c'est au tour de Novak de s'emporter. Il dévisage durement le jeune motard :

« Mais ce sont mes oignons, figurez-vous ! Cette enfant, j'en ai la charge ! C'est son équilibre qui est en jeu, et vous êtes en train de la perturber salement, avec vos manigances !

— Mes manigances, comme vous dites, elles vous emmerdent ! »

Les deux hommes sont hors d'eux. Le ton

monte, monte. Il ne manque plus que les insultes, ou d'en venir aux mains (ce que Novak ne souhaite certainement pas!).

« Tout ce que je vous demande, c'est de vous expliquer, reprend l'instit plus doucement. Si vous refusez, je serai dans l'obligation de prévenir M. Loisel. »

Bref et amer comme un sanglot, un drôle d'éclat de rire lui répond :

« Ah, parce que vous croyez qu'il n'est pas au courant? Vous n'avez pas remarqué qu'il ne la lâche plus d'une semelle?

— Mettez-vous à sa place! »

La gorge de Gilles ne laisse plus passer que des sons rauques, qui hachent les mots de façon poignante.

« Sa place, balbutie-t-il, je donnerais n'importe quoi pour y être! »

Un silence. On l'entend juste respirer. Le souffle haletant de quelqu'un d'oppressé par la fièvre. Puis un ricanement qui fait mal à entendre :

« Ah, c'est un type bien, le papy! Il a toujours été formidable, le papy! Avec sa fille, avec sa petite-fille... Mais il ne faut surtout pas gratter : quand le vernis s'écaille, en dessous, c'est l'horreur! »

Il y a tant de mépris, dans cette dernière phrase, et tant de détresse en même temps, que Novak en est bouleversé.

L'instit a retrouvé son calme. Sa méfiance de

tout à l'heure s'est estompée. Face à ce grand adolescent blessé, il n'éprouve plus que de la sympathie. Une sympathie qu'il ne cherche pas à dissimuler.

« J'ignore ce que M. Loisel a pu vous faire, observe-t-il très posément, mais vous n'avez pas le droit de vous servir de Sandrine pour vous venger ! »

Un cri lui répond. Cri de révolte et de souffrance, qui emplit tout à coup le petit bois, l'air glacial, et se perd dans les mugissements du vent :

« Et lui, hein, et lui ? Il a le droit, lui, de me voler ma gosse ? Parce que Sandrine, c'est ma gosse, vous entendez, MA GOSSE !!! »

Un sanglot convulsif suffoque le jeune motard.

« Je m'en doutais », dit simplement Novak.

Les deux motos sont descendues en ville, l'une derrière l'autre. Maintenant, garées côte à côte sur le môle, elles attendent leurs propriétaires.

Ceux-ci prennent un verre au bar de l'hôtel des Platanes, où loge Novak.

La salle est vide, en cette saison. Seule la patronne, Mme Thibault, une brune avenante et bien en chair, vaque derrière son comptoir. La radio allumée diffuse un jazz très doux, basse-batterie-piano, suivant la grande tradition « New-Orleans ». Les notes feutrées emplissent l'atmosphère, et la rendent chaleureuse, propice aux confidences.

Dans la chope de Gilles, la mousse s'évapore

peu à peu, mais il ne boit pas. Sa gorge est trop serrée pour que ça passe.

« ... Je m'étais juré de n'en parler à personne, murmure-t-il, très abattu. Mais vous m'avez fait craquer... »

Il tripote nerveusement son sous-verre de carton, en corne les angles du bout de l'ongle. Puis, relevant brusquement le front, il fixe l'instit dans les yeux :

« Vous ne lui direz rien, à Sandrine, hein ?

— C'est à vous de lui apprendre, pas à moi... »

Gilles secoue violemment la tête, en signe de dénégation.

« Pourquoi non ? s'étonne Novak.

— Je n'ai pas envie de tout bouleverser dans sa vie, vous comprenez ? Je n'en ai pas le droit !

— Pourtant elle en rêve, vous le savez bien ! »

Le visage dans les mains, Gilles soupire :

« Je n'ai rien à lui donner, rien... que de l'amour !

— Ça me semble suffisant ! »

Gilles à nouveau secoue la tête, non, non, non, non... mécaniquement, comme pour écarter la tentation.

« Il est trop tard, Victor... J'ai loupé le coche... Je n'étais pas là quand elle est née, je n'étais pas là à la mort de sa mère, je n'ai jamais été là ! Chaque fois qu'elle a eu besoin de moi, que j'aurais dû la consoler, la serrer dans mes bras, elle n'a trouvé personne. Sauf son grand-père. Et contre ça, je ne peux rien... »

Un second soupir, où tremble tout le désespoir du monde :

« Dix ans de désertion, ça ne se rattrape pas... »

Novak pose une main amicale sur le bras de son interlocuteur :

« Que s'est-il passé exactement, Gilles? Pourquoi êtes-vous parti?

— Quand j'ai rencontré Christine à Paris, elle avait dix-huit ans. Moi aussi. On est tombés amoureux fous. Mais pas question de mariage, évidemment!

— Pourquoi? »

Gilles hausse les épaules, perdu dans ses souvenirs.

« On était des mômes! Elle en fac, moi sans un rond, sans boulot stable, et avec mon service à faire... Alors vous imaginez! Quand elle m'a appris qu'elle attendait un bébé, j'ai paniqué. Avec quoi j'allais le nourrir, ce gosse? Comment j'allais l'élever?... Je n'étais pas prêt à être père, vous comprenez... »

D'un regard abattu, il quête l'approbation de Novak. A cet instant, on ne lui donnerait guère plus de seize ans...

« Ça s'apprend très vite, dit Novak.

— Je sais... »

Oh oui, il le sait! Il ne le sait que trop! Le minois de Sandrine le hante nuit et jour, depuis qu'il l'a retrouvée. Il ne pense plus qu'à elle, ne vit plus que pour elle. Rien d'autre au monde ne l'intéresse que cette petite fille blonde, secrète, rebelle, qui lui a fait confiance d'emblée...

Oui, être père, ça s'apprend très vite.

« Et ensuite, que s'est-il passé ? demande Novak, rattrapant le fil de l'histoire.

— J'ai commis une bêtise, la plus grosse de ma vie : j'ai suivi les conseils de Loisel, et je suis parti en Afrique comme coopérant.

— Et Christine ?

— Elle est rentrée accoucher chez ses parents... et je ne l'ai plus jamais revue. »

Sa voix se brise. Il baisse la tête. De lui, Novak n'aperçoit plus qu'un amas de mèches en broussaille, couleur de blé mûr.

« Vous avez perdu tout contact ? » reprend l'instit avec douceur.

Gilles a un sursaut d'indignation et relève la tête. Quelque chose brille dans ses cils, qu'il efface d'une paume rageuse.

« Bien sûr que non ! On s'écrivait régulièrement, elle m'envoyait des photos de la petite, elle me racontait leur vie. Je mourais d'envie de les revoir, mais je ne voulais pas rentrer les mains vides. Après le service, on m'a proposé un boulot de mécano sur place, bien payé. Je me suis donné deux ans supplémentaires pour me faire un petit pécule. Christine était d'accord...

— Et qu'est-il arrivé ?

— Un jour, mes lettres sont revenues sans explication. Retour à l'envoyeur. J'ai pensé que tout était fichu, qu'elle avait refait sa vie. Elle était si jeune, tellement belle... C'était compréhensible après tout.

— Et vous n'avez pas essayé de savoir ?

— Non, j'ai tout brûlé : les lettres, les photos. Je voulais repartir de zéro, l'oublier... J'ai appris sa mort il y a quelques jours. Par Sandrine. »

Cette fois, les larmes reviennent en force. Pas la peine d'essayer de les cacher. Sur les joues encore rondes, elles laissent deux traînées luisantes.

« Qu'est-ce qui vous a poussé à revenir ? » demande Novak, envahi lui aussi par l'émotion.

Les yeux rayons laser se plantent dans les siens :

« Oublier, ce n'est pas si facile... »

Un silence. Gilles en profite pour s'essuyer le visage, dégageant un front que, malgré sa jeunesse, le soleil d'Afrique a marqué. Tout un réseau de petites rides le strient. Dix années sont inscrites là. Dix années sans oubli.

« Et que comptez-vous faire ? » s'enquiert enfin Novak.

Le front se plisse douloureusement.

« Je n'en sais rien. Si j'avais trouvé Christine heureuse avec un autre, comme je m'y attendais, je me serais effacé. Je voulais juste voir ma fille. Ça m'obsédait depuis des années : savoir à quoi elle ressemblait...

— Elle vous ressemble, Gilles.

— Non, c'est le portrait de Christine ! Et maintenant que je l'ai vue... »

Sa voix se brise.

« Maintenant que vous l'avez vue, dit Novak, vous savez à quel point elle a besoin de vous...

— Et à quel point j'ai besoin d'elle ! »

Il se prend la tête dans les mains :

« Victor, je ne suis rien pour cette petite, vous comprenez, rien ! Juste un fantasme ! JE N'EXISTE PAS POUR ELLE !

— MAIS IL NE TIENT QU'À VOUS D'EXISTER ! »

Ébranlé par la détermination de l'instit, Gilles hésite un instant. Un espoir insensé l'envahit. Il s'y raccroche l'espace d'un éclair, puis hausse les épaules avec accablement.

« Vous avez vu l'attitude du grand-père ? Il crève de trouille. Il m'a toujours détesté. Je ne veux pas que Sandrine soit l'enjeu de cette haine.

— Pourquoi ne parlez-vous pas aux Loisel comme vous venez de le faire ? Je suis certain qu'ils comprendraient...

— Vous rigolez ? Le papy est plus têtu qu'une mule. J'ai déjà essayé, d'ailleurs. Il m'a envoyé sur les roses... Il me hait ! »

Un temps. Chacun réfléchit de son côté. Novak cherche des solutions. Gilles ressasse ses rancœurs.

« Et si j'allais le voir, moi ? » suggère l'instit.

Gilles reste bouche bée.

« Pourquoi vous feriez ça ?

— Parce que je pense à Sandrine, dit lentement Novak, l'œil perdu dans le lointain. Moi aussi, Gilles, j'ai un regard de petite fille qui ne me quitte pas... »

Sur la table de chevet de l'instit, il y a un portrait. Celui d'une femme et d'une enfant, parties un beau jour sans laisser d'adresse, et qu'il ne reverra peut-être jamais.

Quand elle fait le ménage, Mme Thibault les regarde. Et, ignorant le drame, se dit que son pensionnaire est un heureux papa.

16

« Passe-moi la grande étoile, mamy ! »

Debout sur une chaise, Sandrine prend la décoration que lui tend sa grand-mère. Puis elle se dresse sur la pointe des pieds et, le bras levé au maximum, essaie de l'accrocher au sommet du sapin. Mais pas moyen, elle est trop petite.

« Ouille ! Ça pique, les aiguilles ! proteste-t-elle, suçant son doigt endolori.

— Il n'y a que papy qui y arrive, ma poussinette, dit Mme Loisel. Il va falloir attendre son retour pour terminer.

— Flûte alors ! Mais où il est ? Il avait promis de nous aider !

— Ton instituteur lui a téléphoné, tout à l'heure. Il voulait le voir. »

Sandrine fronce les sourcils. Ce genre de rendez-vous ne lui dit rien qui vaille. Quelle bêtise a-t-elle pu commettre, qui justifie une telle convocation ?

Elle réfléchit à toute allure, puis soudain se

crispe. Le billet, évidemment ! Ce ne peut être que le billet !

Mais alors... Novak est un traître !

La petite fille se sent blêmir. Elle essaie cependant de sauver la face.

« Qu'est-ce qu'il va encore lui cafter sur moi ? » lance-t-elle, faussement insouciante.

Sa grand-mère se met à rire :

« Rien du tout, ma chérie, ne t'inquiète pas : c'est à propos du Noël de l'école. Il veut nous commander du vin pour le pot offert aux parents. Enfin... si j'ai bien compris de quoi il s'agissait ! »

Ouf ! Rassurée, Sandrine descend de son perchoir, pour aller fouiner dans le carton de guirlandes. Il y en a, des merveilles, là au fond ! Toutes les décorations qu'on ne sort qu'une fois par an, et qu'on range sitôt les fêtes terminées. Comme d'une année sur l'autre on les oublie, on a chaque fois le plaisir de les redécouvrir. Ce personnage en bois, par exemple, avec son joli bonnet rouge...

« Mamy, regarde ce que j'ai trouvé ! »

Elle fait danser le joujou devant elle, comme une marionnette au bout de son fil.

« L'as-tu vu, l'as-tu vu
Le petit bonhomme, le petit bonhomme... »
chantonne-t-elle en même temps.

« L'as-tu vu, l'as-tu vu
Le petit bonhomme au chapeau pointu ! » continue la grand-mère.

Puis, en chœur, elles reprennent toutes les deux :

« Il s'appelle père Noël
Le petit bonhomme, le petit bonhomme,
Il s'appelle père Noël
Le petit bonhomme au chapeau pointu ! »

La comptine se termine dans un grand éclat de rire.

« L'année dernière, tu te souviens ? Tu y croyais encore, au père Noël ! dit mamy avec une pointe de regret.

— J'étais encore un bébé ! » répond dignement Sandrine.

Au même moment, la porte d'entrée claque et Tim, qui dormait sur le tapis, se dresse d'un bond en remuant la queue. Ses jappements ne trompent pas : il a senti son maître. Il court à sa rencontre et lui saute dans les jambes, toute langue dehors, pour réclamer une caresse.

« Papy, papy, viens mettre l'étoile ! »

Avec une lassitude suspecte, M. Loisel retire sa veste, son écharpe, et les accroche au porte-manteau. Puis, il s'approche du feu en se frottant les mains, le chien sur les talons.

« Mmmm, il fait bon ici ! »

La grande maison a pris un air de fête, ce qui la rend encore plus douillette qu'à l'accoutumée. Il faut dire que le sapin y est pour beaucoup ! Les guirlandes lumineuses clignotent joyeusement, les boules de verre brillent, les cheveux d'ange nimbent le feuillage d'un voile scintillant, il ne manque plus que les cadeaux. Et les cadeaux... c'est pour bientôt ! Huit jours, exactement.

« Tu as l'air congelé, mon chéri ! s'étonne Mme Loisel. L'école n'était pas bien chauffée ?

— Nous sommes restés discuter dans la voiture.

— Et de quoi vous avez parlé ? demande Sandrine, avec un reste d'inquiétude.

— De choses qui ne te concernent pas, Arsouillette. »

Bon. Puisqu'elle n'a plus de souci à se faire, l'Arsouillette mangerait bien un morceau. Une petite faim sournoise est tapie dans son ventre, et se manifeste en gargouillant. A moins que ce ne soit tout simplement de la gourmandise.

« Il y a des biscuits dans la cuisine », dit gentiment mamy, à qui rien n'échappe.

Escortée de Tim qui a flairé l'aubaine, Sandrine sort en sautillant. Aussitôt, Mme Loisel devient grave.

« Comment ça s'est passé ?

— Pénible. Très pénible. Cet instituteur a une fâcheuse tendance à se mêler de ce qui ne le regarde pas ! Mais je l'ai remis à sa place, je te prie de le croire. Je lui ai conseillé, s'il voulait conserver son poste, de ne pas fourrer son nez dans nos affaires de famille. J'espère pour lui qu'il a compris ! »

Mme Loisel hoche pensivement la tête, tandis que son mari poursuit :

« Imagine-toi que cette petite frappe de Gilles ose réclamer un droit de visite ! (Il ricane durement). Un droit de visite, non mais ! Pourquoi pas une pension alimentaire, tant qu'il y est !? Et l'autre idiot qui est de mèche avec lui et me tient de grands discours sur la paternité... Encore un peu, il me faisait la morale ! Tu parles d'un culot ! »

L'indignation de papy ne trouve chez sa femme qu'un écho mitigé. Un mot, par contre, a choqué la vieille dame :

« Cette "petite frappe", comme tu dis, est quand même le père de Sandrine ! » observe-t-elle avec reproche.

M. Loisel lui détache un regard courroucé :

« Ah, tu ne vas pas t'y mettre aussi ! Qui élève la petite, la nourrit, l'habille, console ses chagrins, la borde le soir, hein ? Lui, peut-être ? »

Mme Loisel ne répond rien. Il n'y a rien à répondre, son mari a raison. Gilles n'a de père que le nom... mais est-ce tout à fait sa faute ?

« Son vrai père, le seul, l'unique, c'est moi, reprend M. Loisel avec conviction. Moi, et pas ce jean-foutre qui a joué les filles de l'air au lieu de prendre ses responsabilités !

— Tu exagères, Raymond ! Notre Christine l'aimait, et c'est ça l'essentiel... proteste faiblement mamy.

— Tu crois vraiment qu'on aime, à dix-huit ans ? Si elle vivait encore, et que l'âge lui ait mis du plomb dans la cervelle, elle aurait la même réaction que moi ! Elle renverrait vite fait ce petit monsieur chez ses sauvages ! »

Sandrine qui revient, munie d'une boîte en fer-blanc, coupe court au désaccord. La vieille dame, aussitôt, retrouve sa bonne humeur. D'autant que Tim, qui s'obstine à faire le beau pour obtenir une friandise, est du plus haut comique. Sandrine éclate de rire, bientôt suivie par sa grand-mère.

Seul M. Loisel reste sombre, perdu dans ses tristes pensées...

17

Plus qu'une semaine avant le 25 décembre. Au lit, les yeux grands ouverts dans l'obscurité, Sandrine compte les jours sur ses doigts, puis s'arrête, médusée, l'index en l'air. Zut et flûte ! Sa lettre au père Noël !

Mais où a-t-elle la tête ? Tant de choses se sont passées, ces derniers temps, qu'elle a complètement oublié de l'écrire...

Il faut qu'elle s'y mette tout de suite, sans perdre une seconde !

Derrière les rideaux translucides, on aperçoit la lune, toute ronde au milieu du ciel noir. Quelle heure peut-il bien être ? Dix heures ? Dix heures et demie ? Avant d'aller à la réunion des « dames de la paroisse », mamy est venue embrasser sa petite-fille. Puis la voiture a démarré, et Sandrine a écouté son ronronnement décroître dans le lointain. C'était il y a... oh ! au moins vingt minutes !

Il serait largement temps de dormir, mais tant pis : c'est un cas d'urgence ! On a beau ne plus croire au père Noël, ce n'est pas une raison pour ne rien lui commander!

La fillette rallume sa lampe de chevet. Une lumière rose baigne aussitôt la pièce, de plus en plus diffuse à mesure qu'on s'éloigne du lit. Dans les coins d'ombre, des alignements de poupées luisent faiblement. Il y en a toute une collection, en rang d'oignons le long du mur. A côté, les peluches. Plus loin, le coffre à jouets, entrouvert sur son désordre magique : ballon, corde à sauter, billes, crayons sans pointes, BD déchirées, panoplies incomplètes. Et tout à fait à l'opposé, la bibliothèque et ses dos de livres multicolores.

D'un regard, Sandrine embrasse son univers. C'est si rassurant d'avoir un coin à soi, un cocon, une tanière... Tout ce qu'il y a ici, elle l'aime. Ce sont ses trésors familiers, ses souvenirs, des petits morceaux de sa courte vie rassemblés en vrac dans quelques mètres carrés où elle est « seul maître à bord ». Et pourtant... Pourtant, tout ça, elle l'échangerait volontiers contre une minute dans la savane. Rien qu'une, pourvu qu'elle soit en compagnie de son papa...

« Quand je serai grande, je partirai en Afrique! » se répète-t-elle pour la centième fois.

Puis elle réfléchit et, interpellant ses poupées favorites :

« Toi, Gladys, toi, Cheyenne, toi, Martine, et vous, les Barbies, vous viendrez avec moi. Et vous n'aurez pas peur des tigres, hein! Promis! »

Les poupées ont-elles répondu? Sûrement. Les

pées répondent toujours ! Dans le silence de la ambre, Sandrine a entendu leurs petites voix aigrelettes faire « maman ». (« Maman », c'est le cri de la poupée, comme celui du chat est « miaou » et celui du chien « wouh, wouh ». Pas très varié, comme langage, mais quand on a l'habitude, on sait traduire. Ce « maman »-là signifie « oui » !)

« Très bien, les filles ! Bon, maintenant, ma lettre au père Noël ! »

Dans le cartable, il y a tout ce qu'il faut. Papier (une page du cahier d'arithmétique), stylo, un livre pour s'appuyer... Sandrine s'installe.

De quoi a-t-elle envie ? Heu, voyons...

En pensée, elle fait le tour des merveilles connues et inconnues qui peuplent les magasins de jouets. Rien ne la tente. Mais alors là, rien. Rien de rien.

Elle ne désire qu'une seule chose, une seule personne plutôt. Son papa.

« Père Noël, je voudrais mon papa », marque-t-elle, de sa plus jolie écriture. Puis elle signe.

C'est très exactement à ce moment-là qu'elle entend la moto.

A-t-elle rêvé ? Non, puisqu'elle ne dormait pas. Elle saute sur ses pieds, soulève le rideau, regarde par la fenêtre. La Trial est garée en bas, à côté de son vélo. Et là, cette silhouette dans la nuit, que la porte, en s'ouvrant, éclaire brusquement de face... Pas de doute, c'est Robinson Crusoé !

Le cœur de Sandrine se met à battre, et son cerveau tourne à toute vitesse, suscitant un millier de questions. Que se passe-t-il? Pourquoi le motard vient-il à la maison? Qu'est-ce qui se trame, en bas, entre papy et lui?

Il faut coûte que coûte élucider ce mystère!

Pieds nus, Sandrine sort de sa chambre.

Plongée dans le noir, la maison ne se ressemble plus. Les couloirs familiers sont presque menaçants, la cage d'escalier paraît immense. C'est la première fois que Sandrine s'y promène sans lumière, et à une heure pareille! Mais pas question d'allumer l'électricité : si papy s'aperçoit qu'elle est sortie de son lit, qu'est-ce qu'elle va entendre!

Pourvu que les marches ne craquent pas! Sandrine se fait légère, légère...

D'en bas parviennent des éclats de voix. Papy a fait entrer le visiteur dans son bureau, et on dirait... mais oui... qu'ils se disputent!

Le cœur de Sandrine cogne dans ses oreilles, tandis qu'elle se rapproche. Cette pulsation interne — ce roulement de tambour, plutôt! — rythme la conversation que, maintenant, elle perçoit clairement. Trois marches avant le rez-de-chaussée, elle s'arrête et écoute.

« Si j'ai accepté de vous recevoir, dit la voix cassante de papy, c'est uniquement pour mettre fin à une situation... anormale. Depuis que vous êtes revenu, la petite est nerveuse, perturbée, malheureuse. Et elle ne mérite pas ça! »

Impossible de s'y tromper, c'est d'elle qu'on cause. Sandrine redouble d'attention.

bafouillage. Elle reconnaît Robinson Cru- mais dépourvu de sa gouaille coutumière. Il …it être drôlement intimidé, pour parler comme ça ! Ou alors, drôlement triste !

« Ce n'était pas mon intention...

— Ne tournons pas autour du pot, le coupe papy. Combien voulez-vous pour nous laisser tranquilles ? »

Un long silence. Puis de nouveau la voix de Robinson, mais vibrante de colère, cette fois.

« Il y a erreur, monsieur Loisel ! Ce n'est pas de l'argent que je suis venu chercher, et vous le savez parfaitement ! C'est Sandrine !

— Sandrine est très bien avec nous ! Elle a tout ce qu'il lui faut... alors que vous ! Que pouvez-vous lui apporter ? Vous avez toujours été un velléitaire, un marginal ! »

Sous le choc, Sandrine décroche. Robinson ? Robinson est venu la chercher ? Robinson connaît son grand-père, et ils sont en train de se battre pour elle ? Les mains moites d'émotion, elle serre de toutes ses forces les barreaux de la rampe.

Le ton du dialogue a encore monté d'un cran.

« L'héritage de Christine vous a toujours tenté, n'est-ce pas ? reprend la voix de papy. Alors, vous espérez encore... »

L'indignation fait bredouiller le motard :

« C'est... c'est... abject, ce que vous dites là !

— Allons, ne faites pas tant d'histoires : prenez ces trente briques et filez ! Disparaissez de notre vie ! ! ! »

Le cœur de Sandrine s'est accéléré à l'extrême, comme si elle venait de courir un cent mètres. Le tambour qui bat dans sa tête fait un chahut de tous les diables. Sur la troisième marche avant le rez-de-chaussée, debout, cramponnée à la rampe, les yeux agrandis, elle est plus immobile qu'une statue. Un petit fantôme pétrifié.

« Ce n'est pas assez? Vous voulez plus? hurle papy.

— Votre pognon, vous savez où vous pouvez vous le mettre? »

Un bruit terrible : celui d'un fauteuil ou d'une chaise qu'on renverse. Puis plus rien. Juste le cœur de Sandrine, dans un silence de mort.

Après un « blanc » interminable :

« Je ne cherche pas à vous enlever la petite, reprend la voix du motard, plus calme. Tout ce que je demande, c'est de la voir de temps en temps. Un droit de visite, comme à la suite d'un divorce.

— Un DROIT de visite? Vous osez parler de DROIT! Mais vous n'avez strictement aucun DROIT, mon pauvre garçon, mettez-vous bien ça dans la tête!

— Je suis son père, monsieur Loisel, SON PÈRE, merde! »

Son père? Le mot a éclaté comme un coup de tonnerre dans les oreilles de Sandrine. Un bref instant, elle croit avoir rêvé. Mais non, elle a bien entendu. Robinson l'a bien prononcé, ce mot magique! Il a dit « son père »!

Son père! SON PÈRE!

En une fraction de seconde, la fillette dégringole les trois marches qui restent et surgit comme une bombe dans le bureau.

« PAPA! »

C'est un bolide que Gilles reçoit entre ses bras. Une petite boule chaude toute frémissante d'amour. Il la serre contre lui, de toutes ses forces. Elle s'agrippe follement au blouson de cuir. Il y a dix ans de séparation dans cette étreinte-là. Dix ans d'espoir et de désespoir. Dix ans de solitude chacun de son côté.

Muet, M. Loisel assiste aux retrouvailles. Son visage est si dur qu'on dirait de la pierre.

Sandrine, elle, s'est remise à croire au père Noël.

18

« *C'est un trou de verdure où chante une rivière*
Accrochant follement aux herbes des haillons
D'argent... » ânonne Marc.

Son rhume va mieux, mais il a toujours le nez bouché. Alors ça donne : « ... *ude rivière accrochant follebent...* », ce qui fait rigoler les copains.

« Les acteurs de théâtre, ils font comment, quand ils sont enrhumés? demande Julia.

— Et quand ils ont le hoquet? ajoute Frédéric : « *C'est un trou* hic *de verdure* hic *où chante* hic *une rivière* hic... »

Celui-là, pour faire le singe, il a un don! Toute la classe se tord. Sentant poindre un chahut, l'instit renvoie Marc à sa place et propose une leçon « spécial fêtes ».

« On va parler de cadeaux, puisque c'est la saison. Chacun à votre tour, vous allez me dire quel a été votre plus beau cadeau de Noël. »

Des doigts se lèvent. Le thème enthousiasme les CM1. Depuis début décembre, les cadeaux, ils ne pensent qu'à ça! Normal : on leur en rebat les oreilles. La télé, les affiches publicitaires, les vitrines des magasins n'ont que ce mot-là à la bouche !

« Msieur ! M'sieur ! supplie Jonathan.

— Moi ! exige Frédéric.

— Non, moi, m'sieur !

— Moi ! » crie Sandrine, plus fort que les autres.

Elle se trémousse sur sa chaise. C'est qu'elle en a, elle, une chouette histoire à raconter ! Autre chose que les ours en peluche, les trains électriques et les vélos de ses camarades ! Une histoire de nuit magique, de lettre au père Noël et de papa retrouvé...

Mais...

Mais c'était il y a trois jours. Depuis, son père a disparu. Papy l'a chassé, malgré les protestations de sa petite-fille. Et Gilles est parti, accablé, vers ailleurs.

« Papa, papa ! sanglotait Sandrine, en le regardant à travers la vitre.

— Je reviendrai, a dit papa. Je te promets que je reviendrai. »

D'accord, mais quand ?

Ça arrive, des fois, que le père Noël reprenne ses cadeaux ?

Sandrine baisse son doigt. Finalement, l'histoire n'est peut-être pas si chouette que ça.

Vlan !

La porte s'ouvre si brutalement que toute la

classe sursaute. Mais seule Sandrine reçoit un coup au cœur.

Dans l'encadrement, en plein vent, livide, des cernes mauves jusqu'au milieu des joues, il y a... son papa. Ou plutôt... le spectre de son papa.

« Sandrine ! Viens avec moi ! » rugit le spectre.

L'instit ne fait qu'un bond jusqu'à lui.

« Gilles, qu'est-ce qui vous prend ? Vous êtes devenu fou ? »

Et comme Sandrine se lève :

« Non, toi, reste là ! » ordonne-t-il, avant d'entraîner Gilles dehors.

Vingt têtes se sont tournées vers l'intrus, puis ont suivi la course de l'instit, pour enfin aboutir sur l'interpellée, debout à côté de son banc, complètement bouleversée. La porte à peine refermée sur les deux hommes, tout le monde se rue vers Sandrine.

Vingt questions éclatent en même temps :

« Qui c'est ?

— Qu'est-ce qu'il te veut ?

— C'est le mec à la moto ?

— Tu le connais ?

— Pourquoi il t'a dit de venir ? »

Assaillie par ce flot de paroles, Sandrine s'écroule en larmes sur son banc.

Aussitôt Frédéric vole à son secours et, passant un bras autour de ses épaules, la protège de son mieux. Sans ménagement, il refoule les curieux :

« Laissez-la ! Vous voyez bien que vous l'embêtez !

— Bais ! on fait rien de bal ! proteste Marc. On veut juste savoir qui c'est, ce type ! »

Histoire de donner du piment à l'affaire, Lucille, pour sa part, en rajoute une tonne :

« Oh, la vache, j'ai eu une de ces trouilles ! commente-t-elle, en roulant des yeux effarés.

— Et moi alors ! renchérit Julia. T'as vu comme il hurlait ? Un vrai bandit !

— Heureusement qu'il n'avait pas de flingue, sinon il nous descendait tous ! » assure Jonathan, qui raffole des films de gangsters.

Pointant l'index et le majeur à la manière d'un canon de revolver, il fait mine de tirer dans le tas : « Pan ! pan ! pan ! »

« T'es louf, toi ! le rabroue Marc. Il avait rien contre dous, il voulait juste Sandride, hein, Sandride ! »

Sous son bras, Frédéric sent le dos de Sandrine tressauter. Elle sanglote. Pas étonnant, avec tous ces débiles qui l'agressent !

« Barrez-vous, bande de bouffons ! Laissez-la tranquille ! explose-t-il. Elle a pas envie de vous parler ! »

Une pointe de rancune dans la voix, Lucille lance perfidement :

« Oh, évidemment, toi, tu la défends toujours ! C'est ta petite chérie !

— Hou ! les amou-reux ! Hou ! les amou-reux ! » embraye toute la classe.

C'en est trop. Les mains sur les oreilles, folle de rage, Sandrine bondit sur ses pieds :

« Fichez-moi la paix ! crie-t-elle. Vous n'êtes que des gros nuls ! Vous ne comprenez rien, je ne veux plus vous voir ! Je ne reviendrai jamais dans cette école pourrie, jamais, jamais, jamais ! »

Elle renverse sa chaise, repousse Frédéric déboussolé, se rue vers la porte... et heurte la directrice de plein fouet. Celle-ci a l'air furieuse. Elle vient de croiser Gilles et Novak dans la cour, et n'a pas apprécié l'« abandon de poste » de l'instit. Encore moins ses « fréquentations » !

« Où allez-vous, Sandrine ? » demande-t-elle sévèrement.

La fillette ne répond pas, elle est en larmes.

L'arrivée de Mme Laroque, qui à présent monte sur l'estrade, met fin à l'intermède. Chacun regagne sa place. Impressionnés par la crise de Sandrine, par son inexplicable chagrin et le mystérieux événement qui l'a précédé, les enfants se rasseyent en silence. Ils ont des points d'interrogation dans le regard.

Durant tout ce qui précède, un seul élève n'a pas bronché : Sylvain. Il s'est mordu les lèvres en suivant la scène, et maintenant, il se fait tout petit, tout humble dans son coin. Pour ne pas qu'on le remarque, sans doute.

Rester à la hauteur de Gilles n'est pas une mince affaire. Courant plus qu'il ne marche, le jeune homme descend vers le port.

« Calmez-vous, mon vieux ! l'exhorte Novak, hors d'haleine. Et attendez-moi ! »

Autant s'adresser à un sourd. Gilles continue sans ralentir, et Novak a du mal à saisir ses paroles. Elles lui sont pourtant destinées :

« Retournez près de vos élèves, Victor ! Pas la peine de vous compromettre avec moi ! Vous avez entendu votre directrice, non ? Il paraît que je suis un "malade qui harcèle les enfants". Elle veut m'envoyer les flics ! »

Il fait brutalement volte-face, les traits durcis par la révolte :

« Les flics, vous vous rendez compte ? Les flics contre un père qui réclame sa gosse ! »

Novak l'empoigne par le bras et le secoue sans ménagement :

« Mais qu'est-ce que vous avez dans le crâne, Gilles ? Vous voulez tout gâcher ? Ça sert à quoi de venir piquer une crise en classe, devant les mômes ? »

Ça sert à quoi ? A rien, bien sûr ! Rien ne sert à rien, et c'est bien là le drame... Le jeune homme cesse de se défendre et, après un dernier sursaut, s'abandonne :

« Je ne sais pas, je ne sais plus... gémit-il. Je suis à bout, je craque... »

La pression de l'instit s'accentue :

« Ce n'est pas le moment de vous laisser aller ! La petite sait tout, le plus difficile est fait ! »

Gilles s'ébroue comme un cheval qui renâcle. Sous les mèches en bataille, ses traits juvéniles expriment un désespoir profond :

« Mais non, justement ! J'ai vu un avocat, il m'a

dit que c'était cuit. Comme je n'étais pas marié avec sa mère, je ne peux pas prouver que je suis son père ! »

C'est au tour de Gilles de secouer Novak :

« Vous réalisez ce que ça signifie ? C'est ma parole contre celle de Loisel. Pas la peine de rêver, je ne ferai pas le poids ! Il a tout pour lui, ce salaud : le fric, la loi, le bon droit... et même la petite ! »

De son poing fermé, il se martèle le front :

« Et moi, j'ai rien, rien, rien... même pas un papelard, rien...

— Vous oubliez l'amour de Sandrine, répond tranquillement Novak. Ce n'est rien, pour vous, ça ? »

Le jeune homme le dévisage, hagard, puis il éclate de rire. Un rire douloureux, grinçant, presque hystérique.

« L'amour de Sandrine ! L'amour de Sandrine ! Qu'est-ce que ça pèse, l'amour d'une petite fille, contre la loi ?

— Certainement plus que vous n'imaginez. Et en tout cas, ça justifie de se battre ! Alors, au lieu de pleurnicher, prenez-vous par la main et foncez ! Et surtout, surtout, arrêtez de faire systématiquement des trucs qui se retournent contre vous ! »

Les yeux rayon laser s'allument d'une flamme inquiétante :

« Ah ouais ? Ça veut dire que je ne dois plus chercher à voir ma môme, je suppose ?

— Oui... » fait Novak à contrecœur.

Les lois, il connaît. On n'est pas juge pour enfants durant plus de dix ans sans rencontrer des problèmes semblables. Des problèmes et des souffrances contre lesquels on n'est jamais blindé, et qui vous poussent, un beau matin, à quitter la magistrature. A prendre la route et à remonter vers la source du mal, pour chercher des solutions en amont... Instit préventif, en quelque sorte...

« ... Juste le temps de régulariser votre situation, précise-t-il, en posant une main apaisante sur l'épaule de Gilles. D'avoir un domicile fixe plutôt qu'un coin d'entrepôt provisoire, un emploi stable, deux ou trois fiches de paie... De quoi rassurer les services sociaux, quoi !

— Ça va prendre combien de temps ?

— Cinq, six, sept mois... »

Le jeune homme baisse la tête, comme si on l'avait frappé par-derrière.

« Je n'en aurai pas la force, murmure-t-il d'une voix à peine audible. Je préfère aller crever tout de suite dans mon coin ! »

Et sans ajouter un mot, il s'en va, en titubant comme un homme ivre.

19

Les mains enfoncées dans les poches de son duffle-coat, Sylvain se hâte vers le garage de son père. Son cartable oscille dans son dos au gré de ses pas, et il a l'air préoccupé. Il file des coups de pied dans tout ce qu'il rencontre : cailloux, mottes de terre, et même une vieille boîte de conserve qui fait « balang, balang » sur les pavés avant de terminer dans le caniveau.

Le raccourci qu'il emprunte est une venelle étroite, la rue des Violettes, serpentant entre deux rangées de façades branlantes. Pas de voitures, par ici — elles ne passeraient pas ! — mais des chats : la mémère du douze nourrit les chats errants, et tous les vagabonds à quatre pattes de Collioure ont élu domicile aux abords de sa maison.

En général, Sylvain distribue des caresses en passant. Mais ce soir, il est si énervé qu'il fait « pssht ! » à tous ceux qui viennent à sa rencontre.

Dignement, les minets se retirent, la queue haut perchée, la moustache altière.

« Balang, balang » fait la boîte de Ronron dans laquelle le gamin shoote rageusement.

La rue des Violettes débouche à l'extrême pointe du port, sur le chantier naval. L'atelier de M. Gomez se trouve quelques mètres plus loin. Abandonnant son ballon improvisé (et bruyant!), Sylvain s'y engouffre.

« Papa! papa! »

Il fait rarement le crochet par le garage, après l'école. Heureusement surpris de cette visite, son père abandonne ses occupations pour venir à sa rencontre.

« Salut, fiston! s'écrie-t-il joyeusement. C'est gentil de passer me dire bonjour! »

Mais le fiston n'est pas là pour rigoler, c'est écrit sur son visage.

« Il faut que je te parle, papa! annonce-t-il, la mine grave.

— Qu'est-ce qui t'arrive? »

Entraînant son père à l'écart, le garçon lui glisse quelques mots à l'oreille, en désignant Gilles du doigt. Ce dernier, occupé à régler un moteur dans la courette adjacente, ne remarque rien.

M. Gomez fronce les sourcils.

« Tu es sûr? C'est grave ce que tu m'apprends là!

— Je te jure, papa! J'ai même pas osé dire que je le connaissais, tellement j'avais honte! Et après, Sandrine n'a pas arrêté de chialer!

— Qu'est-ce que c'est que ce cirque?... » soupire M. Gomez, en observant pensivement son employé.

Il gratouille avec perplexité ses joues mal rasées, que bleuit la repousse du soir. Ça fait un bruit de papier de verre.

« Bon, rentre à la maison, fiston, je m'en occupe. Tu as bien fait de me prévenir. »

A peine son fils a-t-il le dos tourné que M. Gomez décroche le téléphone :

« Allô, madame Laroque ? Sylvain vient de me raconter une histoire pas très catholique... »

Un quart d'heure plus tard, Gilles sangle son sac sur le porte-bagages de sa moto, avec des gestes fébriles. Ses mains tremblent tellement qu'il n'arrive pas à fixer les sandows. En lui, c'est la tempête.

Son patron l'a viré sans tambour ni trompette. Les ignobles ragots qui courent à son propos sont parvenus jusqu'au garage. Résultat des courses : plus de boulot, plus de logement.

Ce dont on l'accuse lui salit encore les oreilles.

« J'en apprends de belles sur vous ! a dit M. Gomez. Il paraît que vous vous intéressez de très près aux petites filles ? Eh bien ! c'est du joli ! Savez-vous que vous risquez la prison, mon garçon ? En tout cas, moi, je ne veux plus rien avoir à faire avec vous. Alors, voici votre compte, disparaissez. Et que je ne vous voie plus traîner dans les parages ! »

Gilles aurait pu tenter de s'expliquer, il ne l'a pas fait. A quoi bon ? Et comment prouver sa bonne foi ? L'avocat le lui a bien expliqué : c'est sa parole contre celle de M. Loisel... Et pas seulement de M. Loisel, d'ailleurs : de Mme Laroque également, et des CM1, témoins de son inexplicable conduite...

Tout est perdu, à présent.

Quand on ne sait plus où aller, heureusement qu'il y a les bars. C'est à l'hôtel des Platanes qu'aboutit le malheureux, après avoir erré des heures dans la ville, sans but, taraudé par sa rancœur.

Il en est à son cinquième panaché. Novak, venant prendre son dîner avec Mme Thibault, le trouve à moitié affalé sur le zinc, l'œil vague, la bouche amère, ressassant de sombres pensées.

« Que comptez-vous faire, maintenant ? » s'enquiert l'instit.

Le jeune homme hausse les épaules, dans le plus complet désarroi.

« J'avais un boulot, pfuit, fini ! répond-il d'une voix mal assurée. J'avais un logement, pfuit... Qu'est-ce qui me reste ? Moi. Mais moi, ça ne m'intéresse pas ! Moi, je n'ai plus rien à attendre de l'existence. Moi, je suis rejeté de partout, on me crache à la figure, on veut m'enfermer : il paraît que je suis un type dangereux... »

Novak se garde bien d'entrer dans cette spirale de désespoir.

« Et Sandrine dans tout ça ? se contente-t-il de demander.

— Sandrine (la voix de Gilles tremble)... Sandrine, pfuit !

— Mais encore?

— C'est un bijou, cette gamine... Elle mérite un autre père! »

Ce n'est pas une discussion de bistrot, c'est un sauvetage. Gilles est en train de se noyer. On ne peut pas le laisser comme ça! L'instit plonge, l'agrippe et le ramène à la surface.

« Mais vous mélangez tout, mon vieux! Cette petite, c'est à VOUS de la mériter!

— La mériter! La mériter! Vous en avez de bonnes, vous! Qu'est-ce que j'ai à lui donner? Rien, rien et moins que rien. Chez son grand-père, au moins, elle a des robes, des jouets, une belle maison, une grande chambre... »

Depuis un bon moment, Mme Thibault écoute parler ses clients, et l'envie de se mêler à la conversation la démange. Là, elle ne peut s'empêcher d'intervenir.

« L'argent, le confort, ce n'est pas le plus important, dit-elle doucement. L'amour, ça compte aussi...

— L'amour! s'esclaffe douloureusement Gilles, l'amour, laissez-moi rire! Si l'amour valait quelque chose, ça se saurait, il serait coté en Bourse! Et je serais millionnaire! »

Il avale une gorgée. Les deux autres, émus, ne disent plus rien.

« La vie d'enfant de pauvre, j'ai connu, reprend Gilles. Si j'avais eu des grands-parents friqués, je n'en serais pas là... »

Encore une gorgée. Très calmement, Novak prend le verre des mains du jeune homme.

« Ça suffit, maintenant », décrète-t-il.

Gilles a un mouvement d'agacement :

« Je vous aime bien, Victor, mais arrêtez de me dire ce que je dois faire, OK? »

Il jette des pièces sur le comptoir.

« Allez, tchao la compagnie! Vous pourrez rassurer vos élèves et leurs parents, Victor : je débarrasse le plancher. Tout danger sera bientôt écarté ! »

Novak serre les poings, impuissant à enrayer l'odieux processus de l'exclusion. Malveillance + diffamation = rejet. Sinistre équation dont Gilles est une nouvelle victime... Et pas uniquement Gilles, d'ailleurs. Car ce départ, l'instit le sait, une petite fille ne s'en remettra pas. Une blondinette que la vie, déjà, a bien malmenée, et qui va voir s'évanouir son dernier espoir...

Quel gâchis! Quel lamentable gâchis!

« C'est ça, Gilles! s'écrie-t-il, disparaissez à nouveau! Fuyez vos responsabilités une fois encore, en vous fichant des conséquences! »

Mais Gilles ne l'écoute plus. Il sort, en vacillant légèrement. Décontenancés, Novak et Mme Thibault se regardent. Celle-ci se ressaisit la première.

« Mais qu'est-ce que vous attendez? s'écrie-t-elle. Faites quelque chose, rattrapez-le! Et s'il ne sait pas où aller, ramenez-le-moi : j'ai dix chambres qui ne servent à rien. Il n'y a jamais personne ici, hors saison! »

20

Devant le visage défait de sa petite-fille, Mme Loisel ne sait plus à quel saint se vouer.

« Bois au moins ton chocolat, ma chérie ! Ce n'est pas bon d'aller en classe le ventre vide !

— Je n'ai pas faim... Et puis j'ai mal au cœur... » geint Sandrine.

Elle n'a pas fermé l'œil de la nuit, ou alors juste le temps de faire de brefs cauchemars, pour se réveiller en sueur, nauséeuse, triste à mourir. Un sommeil coupé en tranches et hanté par des angoisses diffuses, de gros chagrins, et un visage obsédant surgi du fond du passé : celui de maman. Parfois, celui de papa le remplaçait, hâve et tragique, dans un encadrement de porte. Il criait « Sandrine, viens », mais Sandrine ne venait pas. Elle pesait cent kilos, et ne parvenait pas à se décoller de son banc.

Des rêves pareils, ça vous coupe l'appétit.

« Tu ne trouves pas que la petite est pâlichonne ? » dit mamy à papy, qui vient d'arriver.

A vrai dire, celui-ci ne vaut guère mieux. Lui non plus n'a pas dormi, et il a l'air aussi malheureux que sa petite-fille.

Il se penche vers elle pour l'embrasser, mais elle s'écarte avec violence.

« Tu ne m'aimes plus, Arsouillette ? » demande-t-il humblement.

Elle fait « non » de la tête, et son expression confirme : difficile de trouver plus hostile.

Il s'assied près d'elle, se sert une tasse de café.

« Il ne faut pas nous en vouloir, ma chérie, dit-il avec beaucoup de tendresse. Tu sais, on fait ça pour ton bien ! Tu comprendras quand tu seras grande... »

Ah non ! Papy ne va pas refaire le coup des photos dans le grenier ! C'est tout ce qu'il est capable de dire, lorsqu'il est à bout d'arguments : « Tu comprendras quand tu seras grande. » Trop facile, vraiment ! Cette fois, ça ne prend pas : il va bien falloir qu'il s'explique clairement !

« POURQUOI J'AI PAS LE DROIT DE VOIR MON PAPA ? » crie Sandrine, le fixant droit dans les yeux.

M. Loisel, incapable de soutenir ce regard — le même que celui de Gilles, le même, exactement. Un double rayon laser sous une frange blonde ! —, baisse la tête.

« Fais-nous confiance, Arsouillette... Si on agit ainsi, ce n'est pas par méchanceté, c'est pour te protéger. Ta maman nous donnerait raison, si elle était encore là. Il lui a fait beaucoup de mal, tu sais... Avec lui, tu ne seras jamais heureuse...

— Qu'est-ce que t'en sais ? »

La réponse a claqué comme une gifle. Avant que son mari ait le temps de réagir, mamy intervient :

« Voyons, Sandrine ! Quelle insolence !

— Ben quoi, c'est vrai à la fin ! Tu crois que je suis heureuse, avec vous ? Pas du tout ! Pas du tout, pas du tout, pas du tout ! J'arrête pas de pleurer ! »

C'est si déchirant, comme aveu, que les prunelles de mamy s'embuent.

« Mais, mon bébé... » proteste-t-elle.

Elle se tourne vers son mari, désemparée :

« Raymond, regarde dans quel état la petite se met ! »

Papy fait un effort sur lui-même pour prendre l'air sévère, mais le cœur n'y est pas :

« Ça suffit, maintenant, Sandrine ! gronde-t-il. Monte chercher ton sac, c'est l'heure de partir à l'école.

— Je veux pas y aller !

— Dans ce cas, file dans ta chambre ! »

Sandrine ne se le fait pas répéter. Mais au moment d'emprunter l'escalier, elle se retourne et jette à son grand-père, avec tout le mépris dont elle est capable :

« D'abord, t'es rien qu'un vieux ! »

« Aujourd'hui, j'avais prévu de vous parler de l'Afrique... » commence Novak.

Réflexe immédiat : tous les regards se tournent

vers la place de Sandrine. Une place vide. Cela jette un léger malaise.

« Oh, non, m'sieur... proteste Frédéric. On ne peut pas faire la leçon sans elle : l'Afrique, c'est son truc, à Sandrine !

— En effet, admet l'instit, c'est même elle qui m'avait demandé d'aborder le sujet.

— Il faut attendre qu'elle revienne ! »

Les réactions sont très mitigées, dans la classe :

« Oh, l'autre ! C'est parce que c'est sa meuf qu'il la défend comme ça !

— On sait pas quand elle va rentrer, d'abord !

— Elle a dit qu'elle voulait plus nous voir !

— Si ça se trouve, on ne l'étudiera jamais, l'Afrique, à cause d'elle ! »

Sans tenir compte des commentaires, Frédéric continue sur sa lancée :

« Elle dit qu'elle partira là-bas quand elle sera grande, m'sieur. A cause de son père : elle veut aller le retrouver...

— Même pas vrai ! lance Jonathan. C'est bidon, cette histoire !

— Qu'est-ce que t'en sais, toi ? »

« Mop » fait le pouce de Julia en sortant de sa bouche.

« Elle a pas de père, Sandrine ! intervient-elle.

— Si elle en avait un, elle s'appellerait comme lui ! renchérit Sylvain. Elle porterait pas le nom de sa mère ! »

Frédéric se toque sur le crâne :

« T'es pas bien, toi, dans ta tête : si elle n'avait pas de papa, elle ne serait pas née, hé, banane ! »

Devant cet argument de poids, Sylvain se tait, l'air préoccupé. Quelques gloussements fusent çà et là. Novak en profite pour intervenir.

« Les enfants, je crois qu'un autre sujet va remplacer l'Afrique. Un sujet tout aussi intéressant, et qui, cette fois, nous concerne tous. »

Instantanément, l'auditoire se calme. Dans le silence revenu, l'instit commence un cours qui restera longtemps gravé dans la mémoire des CM1 :

« Vous voyez, quand un homme et une femme ont un enfant sans être mariés... »

21

Sandrine est assise dans son lit, la couette remontée jusqu'au menton. A force de pleurer, elle a les yeux enflés. Des hoquets soulèvent spasmodiquement sa poitrine, et elle renifle à fendre l'âme. Mamy fait d'incessantes allées et venues entre la chambre et sa cuisine, proposant tantôt une gâterie, tantôt un câlin, tantôt un jeu pour tenter de distraire l'enfant de son chagrin. En vain : c'est tout juste si Sandrine s'aperçoit de sa présence.

Cramponnée à son gri-gri — dont la valeur s'est décuplée depuis qu'elle sait QUI le lui a donné ! —, la fillette est ailleurs. Là-bas, dans une Afrique imaginaire pleine de sorciers sénégalais, de troupeaux d'éléphants, de gazelles traversant la savane, au coucher du soleil, pour rejoindre les points d'eau. L'avion de papa survole tout ça, puis descend lentement, et se pose comme un papillon sur une petite île. Sandrine ferme les yeux, car l'atterrissage lui fait un peu peur. Lorsqu'elle les rouvre, papa est sorti de l'appareil. Par la vitre de la carlingue, il la regarde. Elle lui sourit. Il ressemble à Robinson Crusoé.

« Toc, toc ! »

Ça, ce n'est pas mamy : elle ne frappe jamais avant d'entrer. La curiosité fait réagir Sandrine. Elle se redresse : « Oui ! »

Le visage rond de Frédéric paraît dans l'entrebâillement.

« Tu ne dors pas ?

— Non, viens.

— Je t'apporte tes devoirs. »

Il s'installe sur le lit, déballe ses affaires.

« Ne la fatigue pas, hein, Frédéric ! crie Mme Loisel, d'en bas.

— Promis, m'dame ! »

A la dérobée, il observe son amie dont le pauvre petit visage fait peine à voir :

« Tu es très malade ? Qu'est-ce que tu as ? »

Sandrine hausse les épaules :

« Je fais grève !

— Ah bon, j'aime mieux ça !... Mais t'as une drôle de couleur, quand même : tu es toute rouge !

— T'inquiète, c'est parce que j'ai pleuré. »

Frédéric se dandine d'un pied sur l'autre. Une question le turlupine, mais il n'ose pas la poser.

« Je comprends pas ce qui t'arrive, tu devrais m'expliquer... » finit-il par avouer d'un air malheureux.

Le secret de Sandrine est trop lourd pour elle

seule. Le partager, c'est tout ce qu'elle souhaite. Il suffisait de le lui proposer.

« Tu promets que t'en parleras à personne? »

Offensé, Frédéric se redresse :

« Je suis ton meilleur copain, non? Les meilleurs copains, ça ne parle pas, même sous la torture!

— Jure-le! »

Solennellement, il tend la main droite :

« Je le jure!

— Croix de bois, croix de fer...

— ... si je mens, je vais en enfer!

— Crache par terre!

— Sur la moquette? T'es folle! »

Sandrine réfléchit un instant :

« Par la fenêtre! »

Sitôt dit, sitôt fait. Un courant d'air glacé envahit la chambre. Frédéric s'exécute, puis referme précipitamment et vient rejoindre son amie sur le lit.

« Bon, dit Sandrine, satisfaite. Maintenant, je peux te faire confiance. »

Quelques secondes de silence pour préserver le suspens, puis, très bas :

« Tu te souviens du type à la moto?

— Tu parles si je m'en souviens! Avec l'histoire d'hier!

— Eh bien... C'est mon papa! »

La foudre s'abattant aux pieds de Frédéric ne le surprendrait pas davantage.

« Hein? lâche-t-il enfin, bouche bée.

— Je te promets! » affirme Sandrine, satisfaite de son effet.

Puis elle se rembrunit et ajoute d'une voix lugubre : « Mais papy ne veut pas que je le voie.

— Pourquoi? »

Elle secoue ses cheveux blonds, luttant contre les larmes qui recommencent à monter :

« Parce que mon grand-père, c'est un salaud! Mais je m'en fiche, je sais que papa va venir me chercher et qu'il m'emmènera avec lui en Afrique! »

Dépassé par les événements, Frédéric tente de remettre ses idées en ordre. Ce travail lui demande un très gros effort : il s'est passé tant de choses, ces derniers temps, dans sa paisible petite vie! De quoi lui donner le tournis!

Mais ça, c'est le pompon : le motard et le papa de Sandrine ne font qu'un! Pour une surprise, c'est une sacrée surprise! Mentalement, le garçon compare Gilles à ses propres parents... Il a tôt fait de s'apercevoir que « ça cloche ».

« C'est pas possible, il est trop jeune! s'exclame-t-il, brusquement incrédule.

— Mes parents avaient dix-huit ans quand ils m'ont fabriquée », précise Sandrine avec un brin de fierté.

Tout s'explique donc...

Dans la tête de Frédéric, les choses se remettent peu à peu en place.

« Ah? C'était pas exprès, alors? »

Sandrine fronce les sourcils :

« Pourquoi tu dis ça?

— Ben, justement, on en a parlé avec M. Novak, ce matin en cours. Il paraît que, souvent, les gens qui ne sont pas mariés ont des bébés sans le vouloir, parce qu'ils ont oublié de prendre des précautions. Ça s'appelle des "accidents". »

Sandrine a blêmi :

« Des accidents? Comme quand on est renversé par une voiture?

— Un peu, oui!

— Alors... Ça veut dire que leur bébé, au lieu de les rendre heureux, c'est une catastrophe? »

Frédéric hausse les épaules. Il n'a pas vraiment creusé la question. D'ailleurs, elle ne le concerne pas : lui, ses parents le désiraient tellement qu'il a inauguré une très longue série : trois frères et une sœur, tous accueillis comme des cadeaux du ciel.

« Quelquefois, c'est drôlement compliqué, assure-t-il. M. Novak a dit qu'il y a des gens, quand leur fille attend un enfant sans être mariée, eh bien, ils la mettent à la porte! Et il y a même des mères qui abandonnent leur bébé pour que d'autres personnes l'adoptent.

— Et les papas, qu'est-ce qu'ils font? demande Sandrine d'une voix étranglée.

— Ça, je n'en sais rien. Je crois qu'ils s'en vont. Mais ça veut dire qu'ils n'étaient pas vraiment amoureux. »

Un poids de cent kilos sur la poitrine, la fillette ferme les yeux. Comme par hasard, c'est le moment que choisit Mme Loisel pour monter s'enquérir de ce que font les enfants.

« Tu devrais t'en aller, conseille-t-elle à Frédéric, Sandrine a sommeil. »

Docile, le garçon saute du lit et ramasse ses affaires. Mais au moment de partir, il se tourne vers la grand-mère :

« Madame, j'ai oublié de vous dire, demain on va visiter le château de Prenne. M'sieur Novak a demandé si Sandrine viendrait.

— Je n'y vois pas d'objection, à condition qu'elle soit en forme. Ça lui changera les idées... »

« Mamy... »

Mme Loisel, qui s'apprêtait à redescendre, s'arrête sur le seuil de la chambre. C'est le premier mot que Sandrine lui adresse de la journée.

« Oui, mon bébé !

— Papa et maman... (une hésitation)... ils s'aimaient ?

— Bien sûr, chérie ! Ils s'adoraient, même !

— Est-ce que j'ai été... un "accident" ?

— Un accident ! (mamy a son petit rire gentil :) Oh non, ma minette ! Christine avait très envie d'un enfant. Déjà toute petite, elle aimait tellement ses poupées ! Alors, tu penses, un vrai bébé !

— Et mon papa ? Il me voulait, mon papa ? »

Mme Loisel est bien embarrassée. Elle fait trois petits tours dans la pièce, histoire de se donner une contenance, virevolte sur elle-même, puis répond très vite, en regardant ailleurs :

« Certainement, ma chérie. Sinon, est-ce qu'il serait ici à nous faire des misères ? »

Un temps. Mme Loisel remet un peu d'ordre. Il faut bien qu'elle s'occupe, pour cacher son trouble. Sandrine tourne et retourne ses doutes dans sa tête.

« Mamy ?

— Oui ?

— S'il te plaît, je voudrais te demander quelque chose... »

Mme Loisel s'approche, deux petites mains l'agrippent.

« Montre-moi la photo d'eux ensemble... Celle de l'album... Je l'ai vue quand j'étais toute petite ! »

Un instant de flottement, puis la vieille dame se lève et, d'un pas traînant, se dirige vers sa propre chambre. Sandrine la suit, le cœur battant.

De son armoire à linge, Mme Loisel tire une vieille boîte à bijoux, l'ouvre, y fouille. C'est plein de documents, de lettres, de souvenirs.

« Tiens... Mais surtout, ne dis rien à papy : je me ferais disputer ! »

En tremblant, Sandrine s'empare du cliché. C'est un agrandissement en couleur.

Ils sont là tous les deux, au bord de la Seine, étroitement enlacés. Elle, si jeune, si belle, si fragile, de hautes pommettes comme celles de sa fille, un sourire plein de soleil. Lui, blond et drôle, avec sa frimousse de Gavroche et ses rayons laser qui fixent l'objectif. Que d'amour dans leurs yeux !

Sandrine retourne le portrait. Derrière, il y a le

cachet du photographe, avec la date : « Septembre 84 ». Un rapide calcul. Sandrine est née en mars 85. Christine était donc enceinte de trois mois. Est-ce là le visage de quelqu'un qui vit une catastrophe ?

Un accident ? Tu parles ! Tous les deux, ils ont l'air fous de joie. Et, Sandrine en mettrait sa main au feu, la naissance qui se prépare y est pour quelque chose...

Mamy a rangé sa boîte, refermé l'armoire. Elle n'a pas eu le courage de récupérer la photo. D'ailleurs, Sandrine ne lui en a pas laissé l'occasion. Elle s'est sauvée comme une voleuse, en serrant son trésor contre elle. Pour le lui reprendre, il faudrait lui arracher le cœur !

22

Frédéric a mis ses chaussures de montagne et, sous son anorak, son gros pull en laine des Pyrénées. Son sac à dos ne contient ni livres ni cahiers, mais un pique-nique. Et c'est avec un entrain inhabituel qu'il descend la route, en direction de l'arrêt des cars.

Un bruit de moteur derrière lui l'oblige à se ranger sur le bas-côté. Le véhicule le double à faible vitesse.

La Trial ! Le sang de Frédéric ne fait qu'un tour.

« M'sieur ! M'sieur », crie-t-il de toutes ses forces.

Gilles a perçu l'appel. Il ralentit encore, puis s'arrête. Sous la visière de l'intégral noir, les rayons laser fixent avec indifférence le gamin qui court à sa rencontre.

« M'sieur, vous êtes venu chercher Sandrine ? »

Gilles tressaille et son regard s'anime :

« Pourquoi tu me demandes ça ?

— Elle m'a tout dit, mais je n'ai pas le droit de

le répéter... Alors, c'est vrai ? Vous allez l'emmener en Afrique ? »

Les rayons laser clignotent tristement, dans l'ombre du casque :

« Non, bonhomme... »

Déçu, Frédéric fait la moue. Voilà le beau conte qui tourne court.

« Ben... Pourquoi ? »

L'autre soupire. Un soupir où tremble toute la détresse du monde.

« Parce qu'elle est bien ici, avec ses grands-parents... Tu lui diras au revoir de ma part, s'il te plaît ?... Hein, tu le feras ? »

Frédéric n'en croit pas ses oreilles.

« Vous vous en allez sans elle ? »

Gilles hoche la tête, accablé. L'indignation suffoque Frédéric :

« Alors ça, c'est vraiment nul !... Sandrine, elle vous attend, elle ne pense qu'à vous, même que ça l'a rendue malade. Et vous, vous fichez le camp sans rien lui dire, vous la laissez tomber comme une vieille chaussette ?

— Comment veux-tu que je fasse ? soupire Gilles, tripotant son casque avec embarras. Tout le monde m'empêche de la voir !

— On s'en fiche de tout le monde ! Ce qui compte, c'est Sandrine ! »

Parfois, la colère, ça rend intelligent. Ça stimule le cerveau, et des idées géniales vous viennent on ne sait d'où.

« J'ai un plan ! s'écrie Frédéric, tout excité. Ce

matin, avec l'école, on va à Prenne visiter le château. Je crois que Sandrine sera là, sa mamy me l'a promis. Il ne faut pas laisser passer l'occasion !

— A Prenne, tu dis ? Et qui vous surveille ?

— Ben... M. Novak, évidemment ! »

La tentation est grande... Sentant Gilles faiblir, Frédéric insiste :

« Il faut que vous veniez, m'sieur ! M. Novak, il est sympa, il vous laissera lui dire au revoir, au moins ! »

Résiste-t-on à un tel avocat ? « OK » fait Gilles en silence. Frédéric s'illumine.

« Je peux lui dire, à Sandrine, que vous viendrez ?

— Oui », fait Gilles. Et il ajoute, avec une ébauche de sourire : « Elle en a de la chance, ma fille, d'avoir un copain comme toi ! »

23

« Vous comprenez pourquoi on construisait les châteaux forts sur des hauteurs ? demande Novak.

— Pour fatiguer l'ennemi ! » suggère Sylvain, essoufflé.

Les enfants sont morts de fatigue. Il y a au moins une demi-heure qu'ils marchent, et les moins résistants commencent à protester. Il faut dire que la sente rocheuse menant aux ruines grimpe à pic, et qu'aiguillonné par le froid, l'instit entraîne son petit monde d'un pas alerte.

La plaisanterie de Sylvain amuse Novak.

« Il y a peut-être de ça, oui... Mais c'était surtout pour contrôler les alentours. Dans le donjon, là-haut, une vigie veillait en permanence. »

Se découpant sur le ciel glacé, d'un bleu uniforme, la tour crénelée défie l'espace. A ses pieds, toute la région se déploie comme un gigantesque tapis jusqu'à la mer...

« Impressionnant, non ? fait Novak en ouvrant

tout grands les bras. Bon, Jonathan, c'est toi le guide, tu as bien tout préparé ? »

Armé d'une carte et d'un cahier, l'interpellé acquiesce fièrement. Cette visite, c'est son idée. Il s'est offert à la commenter pour ses camarades, et travaille là-dessus depuis plus d'une semaine. Il connaît son sujet sur le bout des doigts !

« Tu aurais mieux fait de nous amener visiter le port, râle Élodie, c'est moins haut ! »

L'instit la pousse devant lui en riant.

« Allons, allons ! Des petits mollets de neuf ans, ça ne rechigne pas à un peu d'escalade ! Qu'est-ce que tu dirais si tu avais mon âge ? »

Élodie a réponse à tout :

« C'est fastoche, pour vous ! Avec vos grandes jambes, vous marchez deux fois moins ! »

Cette pertinente remarque provoque une hilarité générale.

« Allons, les lambins, on se dépêche ! » crie l'instit, en direction des deux retardataires qui traînent la patte, quelques mètres en arrière.

Les retardataires en question, c'est Frédéric et Sandrine. Une Sandrine bien impatiente, qui n'a pas assez d'yeux pour scruter les alentours. Frédéric l'a mise au courant de sa rencontre du matin, et depuis plus d'une demi-heure — le début de la promenade, exactement — elle guette, elle espère. Derrière chaque arbre, chaque buisson, chaque rocher, elle croit apercevoir la silhouette tant attendue, et son cœur s'emballe. Serrant obstinément son gri-gri dans sa main, elle n'arrête pas de psalmodier : « Pourvu qu'il vienne... Pourvu qu'il vienne... »

« Il a promis ! répète Frédéric toutes les cinq minutes, pour l'encourager.

— Tu es sûr, hein ? C'est pas une blague ? Parce que je te jure, s'il ne vient pas... je me tue ! »

Frédéric n'aime pas du tout le ton sur lequel elle dit ça ! Mais alors là, vraiment pas du tout !

« Arrête tes conneries !

— Je me jette dans le vide ! » affirme-t-elle, en désignant le ravin du menton.

Elle a l'air si déterminée qu'un vague remords envahit Frédéric. Finalement, il aurait peut-être mieux fait de se taire, de lui laisser la surprise. Car supposons que le motard ait menti, ou qu'il ait eu un empêchement... Aïe ! aïe ! aïe ! mieux vaut ne pas y penser !

A tout hasard, le garçon empoigne le bras de sa compagne. Pour l'aider, soi-disant. En réalité, pour la retenir au cas où...

« Allez, dépêche-toi, les autres vont nous attendre... »

Au moins, dans le groupe, elle ne pourra pas faire de bêtise.

Enfin, les CM1 atteignent le portail du château.

« Vous remarquerez qu'il n'y a ni douves ni pont-levis, dit l'instit. L'endroit est suffisamment difficile à atteindre comme ça... N'est-ce pas, Élodie ?

— Hmmm », acquiesce la fillette qui, depuis un

moment, mâche avec application une barre de céréales.

La petite bande pénètre dans une grande cour, où se dresse la tour principale.

« C'est là qu'habitaient le seigneur et sa famille », commente doctement Jonathan.

La majesté du bâtiment impressionne beaucoup les enfants.

« Moi, au Moyen Age, comme métier, j'aurais choisi seigneur ! » affirme Sylvain.

Les autres sont d'accord avec lui : seigneur, c'était sûrement mieux que palefrenier ou bûcheron !

« Tu n'aurais peut-être pas eu cette chance ! observe l'instit.

— Ben... J'aurais fait les études pour ! »

Novak a un petit sourire amusé :

« A l'époque, les études n'avaient rien à voir avec ça. Tout dépendait de tes parents. Tu naissais seigneur ou paysan, riche ou pauvre... et tu le restais !

— C'est même à cause de ça qu'il y a eu la Révolution ! décrète Julia.

— La Révolution ? s'indigne Jonathan. T'es gogol, toi ! C'était bien plus tard ! »

Il fait un rapide calcul : oh oui, au moins deux siècles. Peut-être même trois !

« Moi, à leur place, j'aurais été révolutionnaire ! s'obstine Julia, sans tenir compte de la remarque.

— Ah ouais, boi aussi ! approuve Marc.

— Ben, moi pas ! pouffe Sylvain. Ils n'avaient même pas de culotte, hé, tes révolutionnaires ! »

Il n'en faut pas plus pour déclencher un énorme fou rire.

En pleine hilarité, Jonathan s'arrête net :

« M'sieur, m'sieur ! appelle-t-il, en tirant son professeur par la manche.

— Qu'y a-t-il, mon grand ?

— Là... Le type de l'autre jour ! »

Il indique du doigt un point, un peu plus loin. Toutes les têtes se tournent dans la même direction.

Assis sur un mur éboulé, les jambes dans le vide, Gilles observe attentivement le groupe. Il doit être là depuis un bon moment : il a l'air complètement transi.

Sandrine aussi l'a repéré. Elle a pâli d'un seul coup. Comme elle s'apprête à courir vers lui, Novak la stoppe en plein élan.

« Reste ici ! » lui enjoint-il sur un ton sans réplique.

Puis, se tournant vers les autres :

« Personne ne bouge, d'accord ? »

Plantant là ses élèves médusés, il rejoint le motard au pas de course.

« Gilles... Qu'est-ce que vous faites là ? Je vous croyais parti ! »

Le motard crache la brindille qu'il mâchonnait, histoire de tromper l'attente :

« Je voulais... et puis au dernier moment, j'ai pas pu. Il faut que je dise au revoir à la petite, que je lui explique pourquoi je m'en vais ! »

Novak hésite, embarrassé. Ce qu'on lui

demande là est une entorse sévère au règlement, mais en même temps, refuser serait inhumain.

« Je peux difficilement vous autoriser ça... Elle est sous ma responsabilité ! hésite-t-il.

— Dix minutes, Victor ! supplie Gilles. Soyez sympa ! C'est ma dernière chance de la voir !

— Vous me mettez dans une foutue situation, mon vieux ! »

Soudain, Gilles esquisse un sourire :

« Ce n'est plus la peine de vous faire de souci : quelqu'un a décidé pour vous ! »

Novak n'a pas le temps de se retourner. Sandrine est déjà là, qui vole vers son père. Il lui ouvre les bras, elle s'y jette. Contre cette attirance-là, nulle force au monde, aucun interdit ne fait le poids...

« Papa, papa... bégaie la fillette, cramponnée aux revers du Perfecto.

— Mon bébé, ma chérie, ma petite fille... »

Pour le coup, Novak se sent vraiment de trop. Partagé entre l'attendrissement et la contrariété, il finit par opter pour un repli discret.

« Écoutez, vous deux... Ma marmaille est sans surveillance, je dois m'en occuper. Je vous laisse ensemble mais n'en abusez pas, hein ! Dix minutes, pas plus ! »

Le sourire radieux de Sandrine lui répond.

La marmaille, pour sa part, est dans tous ses états. L'instit est aussitôt assailli de questions :

« Qu'est-ce qui se passe, m'sieur ?

— Qui c'est, ce type ?

— Pourquoi il embrasse Sandrine?
— C'est un ami à elle? »
D'un geste, Novak réclame le silence. Sa décision est prise : il faut en finir avec ces non-dits malsains qui donnent prise aux pires ragots.
« Non, les enfants, dit-il gravement. C'est son papa! »
La révélation suscite une véritable tempête :
« Ça alors!
— Il est super!
— Pourquoi elle l'a pas dit?
— Il va venir habiter avec elle? »
Frédéric file un coup de coude triomphant à Jonathan :
« Alors, grosse nouille, tu vois bien qu'elle a un papa!
— Moi, je trouve qu'il a pas l'air d'un papa, riposte Jonathan, vexé. On dirait plutôt un grand frère!
— C'est encore mieux! s'exclame Élodie. Moi, mon père, tout le monde croit que c'est mon pépé, eh bien! je t'assure que c'est pas marrant! »

Gilles et Sandrine n'ont pas desserré leur étreinte. Malgré les gros vêtements d'hiver, le motard sent battre le cœur de sa fille, comme celui d'un oiseau affolé.
L'autre soir, dans le bureau de papy, leurs retrouvailles ont été si brèves qu'ils n'ont même pas pu échanger trois mots. M. Loisel les a séparés, a menacé d'appeler le commissariat, et malgré les pleurs de Sandrine, a viré l'importun. Depuis,

Sandrine le déteste, et elle ne rêve que d'une nouvelle rencontre, en tête à tête.

Le visage enfoui dans le col de son père, les lèvres pressées sur le cuir épais, elle est la plus heureuse petite fille de la terre.

« Papa, papa... » répète-t-elle, comme si c'était une formule magique.

Que de tendresse dans ce mot-là ! « Papa, papa... » Deux syllabes de bonheur...

« Tu ne l'imaginais pas comme ça, hein, ton père ? murmure Gilles entre deux caresses.

— Et moi, tu me voyais comment ? Tu n'es pas trop déçu ? »

Il lui prend le menton dans la main :

« Je n'ai jamais rencontré personne d'aussi merveilleux ! Tu as le même sourire que ta mère... »

Sous le compliment, Sandrine rougit de fierté :

« Papy me le dit tout le temps !... Pourquoi tu es parti quand j'étais dans le ventre de maman ? Tu ne nous aimais pas ?

— Oh, si, je vous aimais ! Tu ne peux pas savoir à quel point ! Mais j'ai eu peur de ne pas savoir m'occuper de vous, de ne pas vous donner tout ce qu'il vous fallait... Alors j'ai voulu "faire fortune" à l'étranger...

— Et t'as réussi ?

— Non, je suis aussi pauvre qu'avant... et en plus, je vous ai perdues ! »

Cette conclusion ne fait pas l'affaire de Sandrine. Pourquoi est-il si triste alors que maintenant, tout va bien ?

« Tu m'as retrouvée, moi ! proteste-t-elle en se

serrant contre lui. Et maintenant, on ne va plus se quitter, hein ? Tu vas m'emmener avec toi ! »

Gilles l'écarte doucement et sort la girafe miniature de sa poche.

« Tu te souviens, le premier jour ? dit-il d'une voix sourde. Quand tu as eu peur et que tu t'es sauvée, tu as perdu ce taille-crayon. Tu veux bien que je le garde, en échange du gri-gri ? »

Elle fait « oui » énergiquement.

« Chaque fois que je le regarderai, je penserai à toi... murmure-t-il.

— Tu n'auras pas besoin de penser à moi, puisqu'on sera ensemble ! »

Il soupire. Elle comprend, sans paroles. Ce qu'il n'ose pas avouer, ce qui ne veut pas sortir de sa gorge trop serrée, c'est ce qu'elle redoute le plus au monde. Une nouvelle séparation. Un nouveau déchirement.

« Tu ne vas pas repartir sans moi, hein... »

Sa phrase se perd dans un sanglot. D'un seul coup, elle se sent toute vide. On lui a tout arraché : son amour, ses espoirs, son père. SON PÈRE ! Ce n'est pas possible, pas possible... Elle était si heureuse il y a un instant, et maintenant elle replonge dans le cauchemar.

« J'ai déjà pas de maman, et toi, tu veux m'abandonner... »

Les lèvres de Gilles tremblent. Il presse désespérément sa fille contre lui.

« Je ne peux pas rester, ma chérie... »

Sa voix se brise. Comment faire comprendre à

Sandrine ce qu'il n'admet pas lui-même, ce qu'il ne PEUT pas admettre ? Il est son papa, il l'aime, elle l'aime, mais ils n'ont pas le droit d'être ensemble. Voilà, c'est comme ça. C'est aussi simple que ça... Aussi affreux que ça.

« Tu dis que... tu m'aimes... et tu veux... t'en aller... » sanglote Sandrine, inondant de larmes l'épaulette de cuir.

Il l'éloigne de lui, la regarde. Elle hoquette convulsivement. D'un pouce très doux, très doux, il lui essuie les cils.

« Je te promets qu'un jour, quand tu seras grande, on se retrouvera. Et plus personne ne pourra rien contre nous ! »

« Quand tu seras grande ! » Revoilà la phrase bidon, la minable phrase des adultes quand ils ne savent plus quoi répondre.

Comme si Gilles l'avait giflée, Sandrine se recule, toutes griffes dehors.

« J'en ai marre que vous disiez tous ça ! crie-t-elle. Je serai jamais grande, d'abord ! Si tu pars, je mourrai, comme maman ! Et ce sera bien fait pour vous : pour toi, et pour papy, et pour mamy ! Vous aviez qu'à pas me faire de mal ! »

Elle martèle de coups de poing le torse paternel, puis s'effondre dans ses bras, terrassée par le chagrin.

« Je ne veux pas que tu me quittes, papa ! gémit-elle. Je ne veux pas, je ne veux pas, je ne veux pas ! Emmène-moi avec toi, tout de suite ! »

Gilles la serre contre lui à la broyer, sans mot dire. Une lueur étrange s'allume dans ses rayons laser...

Un peu à l'écart du groupe, Frédéric les observe. Il n'a rien perdu de la scène. Une solidarité vigoureuse, passionnée, le lie à la fillette qui lutte pour garder son papa. Il ne redoute qu'une chose : que ce combat se solde par un échec.

Il mesure les forces en présence. A droite, le père et la fille qui s'expliquent. Le dénouement semble proche. A gauche, Novak à l'affût. Le danger vient de lui. S'il remarque le manège des deux autres, tout risque de foirer.

C'est le moment ou jamais d'intervenir !

Sans hésiter, le garçon rejoint ses camarades.

« Hé ! Julia, fais gaffe, tu as une araignée dans les cheveux ! » s'écrie-t-il, en passant derrière la rouquine.

Avec un beuglement, celle-ci bondit sur ses pieds.

« Elle est énorme ! Elle va te bouffer le crâne ! précise aimablement Frédéric.

— M'sieur ! M'sieur ! Au secours ! »

Abandonnant sa surveillance, l'instit se précipite :

« Qu'est-ce qui t'arrive, toi ? »

Julia est si terrorisée qu'elle court dans tous les sens.

« J'ai une bête dans les cheveux ! couine-t-elle.

— Montre ! »

Il la poursuit, la rattrape.

« Tiens-toi tranquille, sinon comment veux-tu que je fasse ? »

Elle obéit, à contrecœur. Écartant les mèches cuivrées, Novak fouille un peu et finit par conclure :

« Je ne vois rien du tout ! A mon avis, on t'a fait une farce ! »

Un bruit de moteur l'interrompt. Mettant à profit les quelques secondes de distraction de leur « geôlier », Gilles et Sandrine ont pris la poudre d'escampette.

Novak se précipite au bord de la falaise. Trop tard : la Trial s'éloigne en pétaradant.

« Arrêtez-vous ! s'époumone l'instit. Vous êtes fou, ne faites pas ça ! Sandrine, reviens ! »

A quoi bon ? Cramponnée au blouson de son père, casquée de l'intégral noir, la fillette ne se retourne même pas.

Tous les gamins se sont massés derrière leur instituteur, eux aussi complètement déboussolés.

« Ben... où ils vont comme ça ? bredouille Élodie.

— Cette question ! En Afrique, hé ! pauvre pomme ! » répond Frédéric, rayonnant.

24

« Nom d'un chien de nom d'un chien de nom d'un chien, quel imbécile... Autant de jugeote qu'un gosse de douze ans ! »

Assis à l'avant du car, Novak ne décolère pas. Il a beau scruter tous les recoins du paysage pour tenter d'apercevoir les fuyards, où que porte son regard, la route est déserte. Les oiseaux se sont envolés, et bien envolés.

M. Goutard, le conducteur du car, est consterné. Les élèves également. Ce qui vient d'arriver les dépasse et les inquiète. Seul Frédéric affiche une satisfaction sans nuage. Les Loisel, la directrice, la police, le scandale, il s'en moque. Une seule chose compte pour lui : le bonheur de sa copine. Le DROIT AU BONHEUR de sa copine, contre lequel se liguent tous les adultes, pour de « bonnes raisons » qu'il ne comprend pas. Père et fille ont rué dans les brancards, au nez et à la barbe de tout le monde ! Ils ont drôlement bien fait! S'aimer, ce n'est pas un crime, tout de même, hein?

Frédéric sifflote. Sandrine fonce vers l'Afrique à cent à l'heure... enfin! Les rêves les plus fous se réalisent parfois! La Trial mange les kilomètres, franchit les frontières, change de continent. Accepte-t-on les motos sur les paquebots? Sûrement, puisque les ferry-boats prennent bien les voitures. Peut-être Gilles et Sandrine sont-ils déjà en pleine mer. Frédéric les imagine aussi clairement que s'il y était, enlacés à la proue d'un navire, leurs cheveux blonds flottant, entremêlés, dans le vent du large, leurs yeux rayons laser fixés sur la côte africaine qui se dessine lentement à l'horizon...

Il ferme les yeux et sourit, heureux. Perdu dans sa rêverie, il n'a pas vu que Novak l'observait...

D'abord surpris, l'instit a vite compris ce qui se passait dans cette petite tête. Et après tout, il ne lui donne pas tort. Quand ceux qui s'aiment se retrouvent, on appelle ça un happy end. Le seul hic, c'est qu'aux yeux de la loi et de la société, ça porte un autre nom : délit. Délit d'enlèvement...

« L'idiot! murmure Novak, partagé entre la tendresse et l'irritation. Il va tout faire rater... »

La moto fonce à un train d'enfer sur la route en lacet qui sillonne la montagne. A droite, la paroi rocheuse. A gauche, le ravin, hérissé d'une rare végétation hivernale. Devant, les méandres luisants de l'asphalte qui court, court, à l'infini. Et au-dessus, l'azur glacial.

« Ça va, ma puce ? » demande Gilles, se retournant vers sa passagère.

Si ça va ! A l'abri du casque intégral trois fois trop grand pour elle, étroitement plaquée au dos paternel, la puce en question ronronne de toute son âme.

« Tu n'as pas trop froid ? »

Non. Elle ne sent plus ses doigts ni ses orteils, mais elle a chaud au cœur. Pour l'instant, ça lui suffit, comme confort !

Autour d'elle, le paysage défile à toute allure. La bise lui siffle aux oreilles, et ce sifflement-là, accompagnant le grondement du moteur, c'est le bruit du voyage. Le chant de l'évasion. La fabuleuse musique des horizons sans fin vers lesquels elle roule, avec papa, derrière papa, contre papa. Près de papa pour toujours.

Combien de temps faut-il pour rejoindre l'Afrique ? Des heures, des jours, des semaines ? Des mois peut-être ? Des années ? Sandrine est prête. Même toute la vie, dans ce bruit, contre ce dos, la tête dans ce casque, elle est d'accord.

Un jour, quand ils auront franchi toutes les frontières du monde, ils trouveront la petite île. Celle de l'avion, celle de Robinson Crusoé. Ils s'y installeront, rien qu'eux deux avec les éléphants, les girafes et les singes. Papa construira une paillote pour y abriter leur bonheur. Le soir, ils écouteront siffler les perroquets dans les palmiers, et Sandrine ramassera des plumes pour en confectionner des pagnes multicolores. Puis, main dans la main, vêtus de rouge, de vert, de jaune, ils courront le long de la plage, courront courront à perdre haleine, avant de s'abattre dans l'écume de la mer. Et là, ils dormiront, tournés vers les étoiles.

Le rêve éveillé est si joli que Sandrine sourit aux anges. L'intérieur de sa tête est baigné de soleil.

Et pourtant...

Si, en ce moment, elle pouvait voir le visage de son père, toute sa joie s'éteindrait peut-être. Dans le vent qui lui fouette le visage, Gilles a les sourcils froncés.

Ce n'est pas un avenir magique qu'il entrevoit, lui, mais les inévitables conséquences de son acte. Et elles l'épouvantent.

Seul rayon de lumière dans cette sombre perspective : les deux petits bras confiants qui lui enserrent la taille.

Ces deux petits bras-là, ça justifie toutes les folies. Toutes les impulsions, même les plus absurdes. Même celles qui mènent en prison !

« Je ne pouvais pas la trahir, se répète le jeune homme comme pour s'en convaincre, je ne pouvais pas la trahir, elle y aurait laissé sa peau ! N'y a-t-il pas un juge qui peut comprendre ça ? »

Au détour d'une courbe, Collioure apparaît, tout en bas, ocre et bistre. La vieille ville semble surgir de la terre dont elle a la couleur, et se détache sur une mer sans limites, qui se confond avec le ciel. C'est d'une beauté à vous couper le souffle.

Distrait par le spectacle, Gilles a oublié, un bref

instant, de regarder la route... Lorsqu'il se concentre de nouveau sur la conduite, il est trop tard. Déjà, le virage est là... Le jeune homme pousse un cri étouffé, braque désespérément... Une légère couche de givre tapisse la route. Gilles glisse dessus, dérape. L'engin, déporté, échappe à son contrôle.

A gauche, la paroi rocheuse. A droite, le ravin. C'est vers la droite que fonce la Trial.

Tout s'est passé si vite que Sandrine n'a pas eu le temps de réaliser. D'un seul coup, le paysage a basculé. Projetée dans le vide avec ses passagers, la moto a dégringolé quelques mètres, rebondissant de rocher en rocher, puis s'est immobilisée contre un arbre. Maintenant, elle gît sur le côté, Gilles coincé sous sa carcasse. Inanimé.

Sandrine, par chance, est indemne.

Le choc a été rude, mais son casque l'a protégée. Il y a eu plus de peur que de mal.

« Papa ? » appelle-t-elle, un peu étourdie par la secousse.

Pas de réponse. Succédant au fracas de l'accident, un calme oppressant règne sur les lieux du drame. L'endroit semble figé dans une sorte de stupeur.

« Papa ! »

La fillette bondit sur ses pieds, aperçoit le corps étendu. Se rue sur lui. Blafard, les yeux fermés, Gilles est allongé sur la mousse froide. Des traces de sang maculent ses mèches blondes.

Sandrine pousse un grand cri, et tombe à genoux.

« Papa, papa ! Ne meurs pas, je t'en supplie ! »

Que faire ? Elle se tord les mains, frénétique, impuissante. Il faudrait une ambulance, un médecin, des pansements !

Que faire ? Que faire ?

Le masque blanc n'a pas un tressaillement. Sous la tête de Gilles, la mousse s'est teintée de pourpre.

Que faire ? Regarder mourir papa, sans rien tenter ?

Prise d'une subite inspiration, Sandrine retire le gri-gri qui pend à son cou, et le pose sur la poitrine de Gilles. « Tant que tu le garderas, rien de mal ne peut t'arriver. » C'est sûrement la déesse-mère qui a préservé Sandrine dans cette chute.

Alors, maintenant, maintenant, ne pourrait-elle protéger papa ?

« S'il vous plaît... S'il vous plaît », supplie l'enfant d'une voix rauque.

Sur le cuir du blouson, l'amulette bouge un peu. Elle frémit à la cadence du souffle de Gilles, mais Sandrine ne s'en rend pas compte. Elle fixe le gouffre, droit devant elle. « S'il vous plaît... S'il vous plaît... » psalmodie-t-elle dans le silence.

« S'il vous plaît... S'il vous plaît... » semblent répéter les échos confus de la montagne.

Après des minutes qui semblent des siècles, le blessé finit par émerger. Sa première pensée est pour sa fille.

« Sandrine ? Tu n'as rien ? » murmure-t-il anxieusement.

Vivant ! Il est vivant ! S'arrachant à sa prière, Sandrine pousse un cri de joie et se précipite vers lui. Il lui faudrait dix bras pour le serrer autant qu'elle le voudrait ! Agrippée à son cou, elle rit et pleure en même temps :

« Oh, papa, papa, mon papa à moi... J'ai eu si peur ! »

Elle tremble de la tête aux pieds. Gilles la berce en lui parlant comme à un bébé :

« Là... Là... C'est tout, ma chérie, c'est fini... »

Petit à petit, elle s'apaise. Les tremblements se calment. Alors son père la repousse doucement, pour se relever à son tour. L'effort le fait gémir : une douleur fulgurante, pire qu'un coup de couteau, vient de lui traverser la cheville, et il a failli tourner de l'œil.

Il se laisse retomber lourdement, les traits crispés.

« Qu'est-ce que tu as ? » s'effare Sandrine.

Il hausse les épaules, en signe d'ignorance. Le mouvement a rouvert sa blessure au front. Un mince filet de sang lui barre la tempe, et coule le long de sa pommette.

Le menton de Sandrine se froisse. De ses lèvres serrées, les mots s'échappent difficilement.

« Tu saignes... Tu as peut-être une fracture du crâne ? »

Il la rassure : la tête, ce n'est rien, juste une égratignure. Il en sera quitte pour une bosse et une bonne migraine. Mais la jambe, par contre...

« Impossible de la bouger... Et ce tas de ferraille qui m'écrase... »

Il se contorsionne pour se dégager. La souffrance lui arrache une plainte étouffée.

« Attends, je vais t'aider ! s'empresse la fillette, surmontant son angoisse. Il faut soulever la moto !

— Tu n'es pas assez costaude ! »

Pas assez costaude ? Ça, c'est à voir ! On dit que l'amour fait des miracles, eh bien ! c'est vrai. Il donne des muscles, en tout cas. A force de s'acharner sur la carcasse métallique, de pousser, de tirer, d'y mettre tout son cœur, Sandrine finit, tant bien que mal, par dégager son père. Ce dernier n'en revient pas :

« Bravo, ma puce ! Ça, c'est une performance !

— Appuie-toi sur moi, papa ! »

Gilles fait appel aux ultimes ressources de sa volonté. En pesant de tout son poids sur le fragile support, il parvient à se mettre debout. Il doit avoir la jambe cassée, ou alors une sérieuse foulure. Impossible de poser le pied à terre.

« Quelle galère ! Je suis handicapé pour un bon bout de temps ! se désole-t-il.

— T'en fais pas, je vais m'occuper de toi ! lui promet sa fille avec assurance. C'est moi qui vais te soigner, moi toute seule. Et tu vas voir comme tu guériras vite ! »

Escalader le contrefort du ravin pour remonter jusqu'à la route n'est pas une mince affaire. Dans l'état où se trouve Gilles, chaque pas est un supplice. Et Sandrine a beau déployer tous ses efforts pour lui venir en aide, ils ne progressent que très lentement, avec de fréquents arrêts pour récupérer.

Mais il n'y a pas que la douleur physique qui tourmente le motard. Une autre préoccupation l'obsède, bien plus grave. Et celle-là, ce n'est pas avec un plâtre qu'on l'en débarrassera...

« Ma chérie, dit-il tout à coup, il faut qu'on parle... »

Ils se sont assis sur un rocher plat, à un mètre à peine du bord de la route. D'ici, si une voiture passe, ils pourront la voir et l'appeler au secours.

« Qu'est-ce qu'il y a, papa? »

Gilles prend une profonde inspiration, puis, regardant sa fille droit dans les yeux :

« J'ai fait une grosse bêtise, tu sais, en t'emmenant! Je n'aurais jamais dû. Tes grands-parents doivent être fous d'inquiétude... »

Le petit front buté se rembrunit aussitôt :

« Alors là, je m'en fiche bien!

— Et ton instit, tu t'en fiches aussi? reprend le jeune homme avec douceur. Il risque de gros ennuis, tu sais! Drôle de manière de le remercier... »

Sandrine hausse les épaules. D'un geste de la main, elle balaie la planète entière :

« Je m'en fiche, de tout le monde! Sauf de toi... »

Soudain, les deux rescapés dressent l'oreille. En montagne, le bruit s'entend de loin. Ce n'est d'abord qu'un minuscule vrombissement, semblable à celui d'un insecte, puis ça augmente. Une voiture! En trois bonds, Sandrine est sur le bas-côté de la route.

« Arrêtez ! Arrêtez ! » crie-t-elle, en faisant de grands signes.

Surpris par cette curieuse apparition — une petite fille boueuse et décoiffée qui court au devant de lui en agitant les bras —, le conducteur freine en plein tournant. A peine a-t-il entrouvert sa portière que Sandrine se rue sur lui et hurle :

« Venez vite, on a eu un accident... »

L'automobiliste pâlit et jaillit de son véhicule :

« Mon Dieu ! Il y a quelqu'un de blessé ? Je peux faire quelque chose ?

— Oui, il faut aller chercher mon papa. »

Grâce à ce précieux renfort, Gilles est bientôt hissé hors du fossé, puis installé sur le siège arrière, sa jambe étendue sur la moleskine.

« Je vous emmène à l'hôpital ? propose le conducteur en remettant le contact.

— Pas la peine, dit Gilles. Avant toute chose, la petite doit rentrer chez ses grands-parents. »

La réaction de Sandrine est immédiate et sans appel :

« Non ! »

Quoi qu'il lui en coûte, Gilles se fait l'avocat du diable, et s'efforce de la convaincre :

« Voyons, ma puce, sois raisonnable... Qu'est-ce qu'on va devenir, tous les deux, hein ? On n'a aucune chance de s'en tirer. J'ai une patte en compote, pas de domicile, quasiment pas de fric, et la police est sûrement à nos trousses. Tu veux que je finisse en prison, c'est ça que tu veux ? »

Mais Sandrine est têtue comme une mule. Plus,

même : comme une petite fille qui a entrevu le bonheur et ne veut le perdre à aucun prix.

« Je ne rentrerai pas chez papy, décrète-t-elle. Et si tu m'obliges, je m'enfuirai ! »

Devant un pareil entêtement, Gilles a la réaction de tous les papas du monde :

« Mais qu'est-ce que j'ai fait pour avoir une fille aussi butée ! s'exclame-t-il.

— Quand vous aurez fini de vous chamailler, vous déciderez peut-être où je vous emmène ? intervient alors le conducteur, en les regardant dans le rétroviseur.

— A l'hôtel des Platanes », soupire Gilles.

25

Pendant ce temps, à Collioure, tout va très mal pour Victor Novak.

Il s'attendait au pire lorsqu'il s'est présenté devant Mme Laroque pour la mettre au courant. A juste titre : comme prévu, au bout de trois mots la directrice a explosé :

« Êtes-vous totalement inconscient, monsieur Novak ? »

Il y a au moins une demi-heure qu'il essuie une pluie de reproches cinglants.

« Je vous avais prévenu, pourtant ! ne cesse-t-elle de répéter. Je vous avais mis en garde contre ce personnage louche qui persécute les Loisel. Mais vous n'en avez fait qu'à votre tête, et nous voilà dans de beaux draps ! »

Sous cette avalanche, Novak a bien du mal à s'expliquer.

« Je suis désolé, mais comment prévoir qu'il aurait cette réaction ? J'ai été pris au dépourvu...

— Au dépourvu ? La belle excuse ! Vous étiez

RESPONSABLE de Sandrine, monsieur Novak, RESPONSABLE, comprenez-vous le sens de ce mot? Vous n'aviez pas à laisser cet individu seul avec l'enfant! EN AUCUN CAS!

— Cet "individu", comme vous dites, est quand même son père! » observe l'instit avec politesse mais fermeté.

La directrice le foudroie du regard :

« Je n'ai pas à rentrer dans ces considérations, ni vous non plus! Pour nous, elle n'a qu'un seul tuteur légal : M. Loisel. S'il a jugé sage d'éloigner sa petite-fille de ce... voyou, c'est qu'il avait de bonnes raisons. Vous deviez vous y conformer! »

Elle tourne dans la pièce comme une mouche dans un verre, bouscule un meuble au passage.

« Je vais téléphoner à la gendarmerie, reprend-elle en posant la main sur le combiné. Mais je vous préviens, ça risque de vous coûter cher, à vous aussi : il y a eu enlèvement, et vous serez considéré comme complice! »

Durant une fraction de seconde, leurs yeux se croisent. Ceux de Novak sont limpides et sans nulle trace de culpabilité, malgré ce dont on l'accuse. Ils débordent seulement d'une immense inquiétude. Mais le sort incertain de ses protégés en est l'unique cause.

« J'ai toujours su assumer mes responsabilités, répond-il lentement.

— En attendant, il serait préférable que vous ne reveniez pas à l'école. Je n'ai plus aucune confiance en vous! »

Sous l'outrage, Novak se raidit.

« Désolé, madame, mais ma place est auprès des enfants !

— Ce n'est pas la première fois que vous enfreignez mes ordres, monsieur Novak ! Rappelez-vous, je vous ai un jour surpris en conversation avec le coupable, et je vous ai demandé de ne plus le revoir. Vous m'avez répondu, je m'en souviens très bien : "En dehors des cours, je fréquente qui je veux !" Voilà où ça nous a menés ! »

C'est plus que n'en peut supporter l'instit.

« Faux, madame Laroque ! s'écrie-t-il, indigné. Ce qui nous a menés là, c'est votre rigidité et celle de M. Loisel. En empêchant un père d'aimer sa fille, en retirant aux êtres leurs droits les plus sacrés, on ne peut que provoquer des drames !

— Vous m'accusez ? Vous osez m'accuser ? fulmine la directrice. Mais vous êtes un danger public, monsieur Novak ! J'appelle immédiatement l'Inspection Départementale qui statuera sur votre sort, puisque vous refusez d'entendre la voix de la raison. En attendant, sortez de mon bureau ! J'ai une tâche douloureuse à accomplir : prévenir la famille de l'enfant. Sa famille LÉGALE !!! »

Quand M. Loisel crie, ça fait trembler les murs. Et là, il est dans une colère noire.

« Le voyou ! Je vais le faire jeter en prison, et Novak avec ! » hurle-t-il à l'intention de sa femme, tout en composant le numéro de la police.

Les sonneries s'égrènent : une... deux... Et soudain : clic !

Quelqu'un vient de couper la ligne. Mme Loisel. Sans un mot, elle a posé la main sur le contacteur du téléphone.

« Qu'est-ce qui te prend ? s'exclame son mari. Tu deviens folle, toi aussi ? »

Qui reconnaîtrait mamy, toujours si douce, si compréhensive, dans la femme déterminée qui brave maintenant papy ?

« C'est toi qui ne vas pas bien, mon pauvre Raymond ! Envoyer Gilles en prison... Tu dépasses les bornes, vraiment !

— Je dépasse les bornes ? Un malade mental vient d'enlever ta petite-fille, et tout ce que tu trouves à me dire, c'est que je dépasse les bornes ? J'aurai tout entendu ! »

Mme Loisel ne se laisse pas démonter par les hurlements de son mari :

« D'abord, Gilles est parfaitement sain d'esprit, et tu le sais très bien. C'est ton intransigeance qui l'a poussé à cette extrémité. Si tu avais accepté qu'il voie la petite de temps en temps, comme il te le demandait...

— Ah, parce que tu crois qu'il se serait arrêté là ? Pauvre naïve ! Il veut me la prendre, oui ! Me la prendre, comme il m'a pris ma fille ! »

La fureur empourpre le visage du vieil homme, et le fait suffoquer. Mais l'enjeu est trop important, Mme Loisel ne veut pas céder.

« Il ne t'a pas PRIS ta fille, Raymond, ta fille

l'aimait ! ET ELLE N'A JAMAIS CESSÉ DE L'AIMER ! Dans sa dernière lettre, elle lui demandait de revenir pour s'occuper de Sandrine... Et cette lettre, tu ne l'as jamais envoyée. »

Papy accuse le coup. Il encaisse mal la vérité, surtout assenée de cette manière.

« Cette enfant, je l'ai élevée, dit-il sourdement. Jour après jour, je l'ai aimée, veillée, nourrie. Je n'ai jamais voulu qu'une seule chose : son bonheur !

— Drôle de manière de la rendre heureuse... » riposte la grand-mère, terrible.

Les rôles ont changé. C'est M. Loisel, maintenant, l'accusé.

« Gilles nous la ramènera, conclut mamy. J'ai confiance en lui. Il a peut-être des défauts, mais il sait où se trouve le bien de l'enfant ! »

⁂

« Donnez-moi un pastis, madame Thibault ! »

La patronne de l'hôtel des Platanes n'en revient pas :

« De l'alcool, monsieur Novak ? Voilà qui n'est pas dans vos habitudes !

— Si vous saviez ce qui m'arrive...

— C'est ma foi vrai que vous êtes tout pâle ! »

Elle l'observe d'un œil pétillant, comme quelqu'un qui sait des choses mais se retient de les dire. Et c'est avec un petit sourire malicieux qu'elle demande, tout en lui remplissant son verre :

« Ce ne serait pas la fugue de Sandrine et de Gilles, des fois, qui vous mettrait dans cet état ? »

Il tressaille nerveusement, s'étonne :

« Vous êtes déjà au courant ? Qui vous a dit... ?

— Eux ! »

Elle pointe un doigt vers le plafond. Il n'ose comprendre :

« Eux ? Vous voulez dire... EUX ? »

Le petit sourire de Mme Thibault devient un grand sourire, puis un rire franc :

« Ils sont là-haut depuis plus de deux heures. Ils ne savaient pas où aller, alors... »

Novak n'entend pas la suite : il est déjà dans l'escalier.

« Et votre pastis, alors, qu'est-ce que j'en fais ? crie la patronne, de loin.

— Buvez-le à ma santé ! »

« ... *Les parfums ne font pas frissonner sa narine ;*

Il dort dans le soleil, la main sur sa poitrine,

Tranquille. Il a deux trous rouges au côté droit », récite Sandrine.

Allongé sur le lit, Gilles l'écoute attentivement.

« Il est magnifique, ton poème ! apprécie-t-il. Moi aussi, quand j'avais ton âge, j'aimais bien Rimbaud...

— Le dormeur du val... on dirait toi, tout à l'heure, dans le ravin... » murmure doucement la fillette.

Il lui attrape la main, l'attire vers lui :

« Tu es encore sous le choc, hein, ma puce ! On

l'a échappé belle... S'il t'était arrivé quelque chose, je ne me le serais jamais pardonné... »

L'arrivée de Novak, entrant en trombe dans la pièce, coupe court à ce moment d'émotion.

« Eh bien ! vous, alors !... Vous pouvez vous vanter de m'avoir flanqué une belle frousse ! » s'écrie l'instit, en se plantant face aux deux “coupables”.

Puis il avise l'état de Gilles dont la cheville a été hâtivement emballée dans des serviettes éponges.

« Qu'est-ce qui s'est passé ? s'inquiète-t-il.

— Il est tombé, s'empresse de mentir Sandrine, avec un aplomb qui suffoque son père. Heureusement, à ce moment-là, je n'étais pas sur la moto... Mais j'ai eu vachement peur quand même !

— Elle a été très courageuse ! renchérit Gilles, entrant dans le jeu. C'est elle qui m'a ramené ici ! »

Avec une évidente perplexité, Novak examine le membre blessé.

« Vous avez vu un médecin ? s'enquiert-il.

— Pas encore, mais Mme Thibault l'a appelé. Il passera dans la soirée. »

Debout à côté de son papa, Sandrine a l'air de monter la garde, comme un vaillant petit soldat. Aussi « rayons laser » que ceux de son père, ses yeux bleus disent clairement à Novak qu'il n'est pas autorisé à déranger leur bonheur.

« Ce n'est pas tout ça, mais il faut prévenir M. Loisel ! » finit cependant par dire l'instit.

La fillette se raidit aussitôt. « Je retournerai jamais chez lui ! » déclare-t-elle d'un air farouche.

Gilles lève les bras au ciel. Comment venir à bout de tant d'obstination ?

« Arrête, ma puce ! implore-t-il. C'est chez lui, ta maison. Il t'aime, il s'occupe bien de toi... »

Il en faut plus pour convaincre la rebelle :

« Et alors ? C'est toi, mon père ! »

Dans ses deux mains, Gilles prend le minois buté et le lève vers lui. Puis il promet solennellement, en détachant bien chaque mot :

« Tout va s'arranger, Sandrine. Je vais rester à Collioure et entamer les démarches pour qu'on m'autorise à te voir. Bientôt, il n'y aura plus de problème... Victor m'aidera, n'est-ce pas, Victor ? »

Novak hoche la tête, gravement. Oh ! oui, il aidera ces deux-là. Dans toute la mesure de ses moyens...

26

Ça fait partie des traditions de l'école : ce sont les élèves eux-mêmes qui décorent le sapin de Noël. Cette activité donne lieu à un beau charivari, d'autant que le climat général s'y prête !

« Il paraît que le père de Sandrine est à l'hôpital : il a eu un accident ! dit Jonathan.

— Il va mourir ? s'enquiert Lucille.

— Mais non, patate ! Il a juste la jambe cassée ! »

Sylvain, occupé à sortir la guirlande lumineuse de sa boîte, remarque tranquillement :

« Ma mère dit qu'on va le mettre en prison ! »

Plinc ! La boule irisée que Frédéric s'apprêtait à accrocher dans le sapin, lui est tombée des mains.

« Et Sandrine, demande-t-il d'une voix blanche, pourquoi elle n'est pas là ? Est-ce qu'elle va y aller aussi, en prison ? »

Un courant d'air froid envahit la salle : c'est Novak qui vient d'arriver, quelques flocons de neige sur le col de son blouson. Il gagne l'estrade, sous le regard attentif des enfants.

« Ce soir, on fait la fête, annonce-t-il sans entrain. Comme chaque année, le père Noël va venir distribuer ses cadeaux. Mais malheureusement, une de vos camarades manque à l'appel... »

Plus un bruit. Tout le monde attend la suite avec curiosité.

« Je pense que vous avez envie d'avoir des nouvelles de Sandrine ?

— Oui... oui, font quelques voix.

— Et aussi de son papa ! réclame Frédéric.

— Eh bien, Sandrine est rentrée chez ses grands-parents. J'espère que nous la reverrons après les vacances. Si elle n'est pas venue aujourd'hui, c'est qu'il s'est passé un événement très pénible, dans sa vie... Une très grosse déception...

— Je sais quoi ! intervient Sylvain. Son père est en prison ! »

L'instit esquisse un sourire sans joie. Sylvain n'est pas si loin de la vérité... Car non seulement les choses ne se sont pas arrangées comme Novak l'espérait pour Gilles et Sandrine... Mais M. Loisel semble carrément devenu fou, depuis qu'il a récupéré la petite-fille, remuant ciel et terre pour faire condamner Gilles.

« Holà, tu vas vite en besogne, toi ! C'est le juge qui décidera... »

Julia lève son pouce tout luisant de salive :

« Qu'est-ce qu'il a fait de mal, m'sieur ?

— Eh bien... (L'instit a une fraction de seconde d'hésitation)... il n'avait pas le droit d'emmener Sandrine... »

Frédéric n'est pas d'accord, mais pas d'accord du tout !

« C'est dégoûtant ! proteste-t-il. Si on peut même plus partir avec son papa !

— Je vous ai déjà expliqué le problème... » dit l'instit.

Tout le CM1 s'en souvient. Les commentaires fusent aussitôt :

« Sandrine est pas vraiment sa fille, parce qu'il vivait pas avec sa mère ! s'écrie Sylvain.

— Et alors ? proteste Élodie, moi aussi, mon père ne vit pas avec ma mère, pourtant je peux m'en aller quand je veux avec lui ! »

D'un geste de la main, Novak réclame un peu de silence :

« Tes parents sont divorcés, Élodie, explique-t-il une fois le calme revenu, alors que ceux de Sandrine n'étaient pas mariés. Gilles n'a donc aucun moyen de prouver que... »

Un « toc-toc » précipité met fin à la discussion. C'est Mme Loisel, enveloppée dans un grand châle, qui a bravé la tempête de neige pour venir jusqu'à l'école. Sa tête et ses épaules sont saupoudrées de blanc.

Du pas de la porte, elle fait signe à Novak de la rejoindre dehors :

« Il faut que je vous parle... C'est très important ! »

Son débit est saccadé, comme lorsqu'on grelotte. Elle brandit une enveloppe jaunie, qu'elle remet à l'instit. Malgré l'intempérie, ils discutent quelques minutes sur le seuil. Mais les élèves ont beau tendre l'oreille, impossible de distinguer ce qu'ils se disent !

L'après-midi est à peine entamé quand la moto de Novak s'arrête devant chez les Loisel. M. Benoît, l'instit des CP, a accepté de le remplacer pendant une heure ou deux, car il y a urgence. Victor Novak va jouer sa dernière carte.

Il sonne. Mme Loisel, qui l'attendait, vient lui ouvrir et l'introduit dans le bureau de son mari. Surprise de ce dernier, qui l'accueille sans bienveillance.

« Que venez-vous faire ici ? »

Mamy s'esquive. Elle a mieux à faire qu'assister à l'affrontement, même si elle en est l'instigatrice. D'ailleurs, elle a toute confiance en Novak : cet homme-là sait ce qu'il veut, et va tout arranger. Pour l'instant, c'est sa petite-fille qui a besoin d'elle : il faut qu'elle la prépare pour la fête de ce soir...

« Monsieur Loisel, dit sévèrement Novak, sortant l'enveloppe de sa poche, dans cette lettre écrite de la main même de votre fille, Christine exprime clairement à Gilles son désir de le voir revenir, pour prendre soin de sa fille... »

Le vieil homme soupire avec lassitude. Les précédents combats l'ont épuisé, et cette dernière manche l'achève. Il sait qu'il n'en sortira pas vainqueur.

« Pas la peine de me la lire, je la connais par cœur... murmure-t-il. Mais... comment fichtre est-elle en votre possession ? »

Esquivant l'embarrassante question, Novak poursuit, sur sa lancée :

« Cette lettre, malgré les recommandations de Christine, vous ne l'avez jamais envoyée ! Et qui plus est, vous en avez dissimulé sciemment le contenu ! Savez-vous qu'avec une preuve comme celle-ci, n'importe quel tribunal... »

La phrase reste en suspens. M. Loisel s'est effondré sur son bureau. Le rappel du tragique passé vient de lui porter un coup fatal. Ce n'est plus qu'un vieillard fatigué, meurtri, prêt à rendre les armes.

« J'ai vu mourir mon enfant... murmure-t-il. Avec toujours ce sentiment d'injustice... terrible... insupportable... Tout l'amour que j'avais pour Christine, je l'ai reporté sur Sandrine... C'est elle qui m'a permis de continuer à vivre... Si on me la prenait, monsieur Novak, si on me la prenait... »

Un sanglot sec, poignant, ponctue la fin de sa phrase. Novak se penche vers lui, et avec une très grande douceur :

« Votre amour pour Sandrine, votre amour de père, un autre l'éprouve aussi. Ça devrait vous rapprocher au lieu de vous déchirer... »

M. Loisel relève la tête. Derrière leur écran de larmes, ses yeux ont perdu leur dureté.

« On peut être plusieurs à aimer un enfant... » ajoute l'instit.

27

Franchement, ça valait la peine de se donner tant de mal !

La classe est magnifique, avec ses décorations de Noël ! Au centre de la pièce, le grand sapin rutile de tous ses feux. Lampions, cotillons et décalcomanies garnissent les murs, les fenêtres, le tableau. Sur l'estrade, un buffet a été dressé. Il y aura des gâteaux au goûter. Et des verres de « Cuvée Loisel » !

Les parents des CM1 sont réunis autour d'une Mme Vasseur rayonnante. Et pour cause : la petite Laurence a quitté l'abri de son ventre — lui rendant sa taille de jeune fille ! — et piaille maintenant dans ses bras. Toutes les mères présentes se pressent autour du bébé, avec des cris d'extase.

« Elle a quel âge ? s'enquiert Julia, agrippée au bras de la maîtresse et dressée sur la pointe des pieds.

— Quatre semaines...

— Qu'est-ce qu'elle est minuscule !... Quand est-ce qu'elle va parler ? »

Mme Vasseur s'esclaffe :

« Pour l'instant, tout ce qu'elle sait faire, c'est pleurer. Mais c'est une championne, dans ce domaine ! »

Sandrine a mis sa petite robe bleue, celle qui plaît tant à mamy, et elle a natté ses cheveux blonds. Dommage qu'elle arbore cette mine renfrognée ! A côté d'elle, ses grands-parents sont sur leur trente-et-un. Et si M. Loisel a l'air bien fatigué, sa femme, par contre, semble en pleine forme. Elle sourit aux uns et aux autres, salue, échange des politesses, tout en surveillant constamment la porte.

Attendrait-elle quelqu'un ?

« Quelle heure est-il ? demande-t-elle à tout bout de champ à son mari.

— Quatre heures trente-cinq... Mais qu'as-tu donc à être si nerveuse ? Tu ne tiens pas en place ! »

Effectivement : à mesure que le temps passe, la vieille dame devient de plus en plus fébrile. Jusqu'au moment où...

La porte s'ouvre. Appuyé sur des béquilles, Gilles entre. Sa jambe gauche est dans le plâtre. Lui aussi a fait des efforts de toilette : il a troqué son Perfecto contre une veste en tweed, et tenté de domestiquer sa tignasse. Le résultat est surprenant et sympathique : on dirait qu'il s'est déguisé.

Tous les regards convergent vers lui, certains

curieux, d'autres cordiaux ou irrités. C'est que les mésaventures de ce papa kidnappeur ont fait le tour de la ville ! Depuis vingt-quatre heures, on ne parle que de lui !

En le voyant, Sandrine s'illumine. Elle quitte ses grands-parents, fend la foule en direction de son père, et se jette à son cou si impétueusement qu'elle manque de le renverser.

Gilles lui rend ses baisers, puis, un peu intimidé, fait le tour de l'assistance. Quelle est cette femme qui s'avance vers lui, souriante ? Mme Loisel...

Elle lui prend le bras, l'entraîne auprès de son mari. Gilles boitille, Sandrine suit. M. Loisel ne proteste pas. Bientôt, tous quatre sont réunis, en un groupe compact.

Au même instant :

« Boum, boum, boum ! » entend-on.

C'est comme au théâtre, quand le rideau va s'ouvrir. Les trois coups annoncent l'arrivée du père Noël.

Aussitôt, c'est du délire.

« Père-Noël ! Père-Noël ! » scandent les enfants en trépignant sur place.

Gilles se penche vers sa fille :

« Il apporte des cadeaux ? » lui souffle-t-il à l'oreille.

Sandrine se serre contre lui et répond, radieuse :

« Moi, je m'en fous : je l'ai déjà eu, mon cadeau !

— Ah bon ? Qu'est-ce que c'est ?

— Toi ! »

Ce n'est pas difficile de reconnaître Novak dans ce faux vieillard aux larges épaules ! Sa barbe colle mal à son menton, sa capuche est de travers, et on voit le bas de son jean sous la robe trop courte.

« L'année dernière, c'était vous qui teniez ce rôle, glisse la directrice à l'oreille de M. Benoît. Et franchement, vous aviez plus de prestance !

— Peut-être, mais les gosses sont ravis ! Écoutez-les ! »

En effet : « Père-Noël ! Père-Noël ! » hurlent-ils à l'unisson.

« Bonjour les enfants ! clame l'instit, accentuant la gravité de son timbre. Vous avez été sages ? »

Un énorme « OUI ! » lui répond.

« Et vos parents ? Ils ont été sages aussi ? »

Là, c'est plus mitigé. Les « non » le disputent aux « oui ». Sandrine, pour sa part, crie « ouiiii ! » de tout son cœur.

« Alors, reprend le père Noël, vous voulez vos cadeaux ? »

L'ovation est telle qu'elle ébranle les bâtiments !

Tandis que, sortant les paquets de sa hotte, Novak en énumère les heureux bénéficiaires, Frédéric se glisse jusqu'à sa copine. Il n'est pas peu fier d'être « pour quelque chose » dans le bonheur de Sandrine ! Ce papa-là, finalement, elle le lui doit un peu : sans son intervention, aujourd'hui, il serait loin !

« Tu me le prêteras, ton père ? » lui demande-t-il tout bas.

Elle prend un air ahuri :

« Pour quoi faire ? Tu en as déjà un !

— Je voudrais faire un tour sur sa Trial ! »

Les deux complices éclatent de rire.

« Sandrine Loisel ! » annonce l'instit, en tendant à la fillette un grand objet rectangulaire, dont elle s'empresse de déchirer le papier.

« Oh ! Un livre sur l'Afrique ! Merci, père Noël ! » Puis elle se dresse sur la pointe des pieds et lui glisse à l'oreille : « Merci, pour mon papa, monsieur Novak. »

Profitant d'un moment de répit, Mme Laroque s'approche de l'instit :

« Je tenais à vous signaler... que je n'ai pas envoyé mon rapport à l'inspection ! » lui glisse-t-elle, en aparté.

Il la remercie d'un signe de tête discret, puis plonge à nouveau dans sa hotte :

« Victor Novak », lit-il avec étonnement sur le paquet suivant.

Une clameur enthousiaste lui fait écho. Enfants et parents applaudissent à tout rompre.

« C'est de la part de la classe ! annonce fièrement Jonathan.

— Si je m'attendais... Qu'est-ce que ça peut bien être ? »

Curieux renversement de situation : c'est au tour du père Noël de déballer son cadeau.

« Oh... Une poupée ! »

L'ahurissement de Novak atteint des sommets !

« Heu... C'est vraiment très gentil, les enfants, mais je ne comprends pas...

— C'est pour votre fille ! dit Lucille. On n'avait pas d'idée, alors on a demandé à Mme Thibault.

— J'ai vu son portrait dans votre chambre, explique celle-ci. Alors j'ai pensé que vous aimeriez lui ramener un petit souvenir... »

L'instit a perdu contenance. On vient de le toucher au point le plus sensible. Un peu désemparé, il regarde la poupée, puis l'assistance. Ses yeux tombent sur Sandrine, qui ne lâche pas la main de Gilles.

« Merci pour elle, les enfants ! » dit-il, la gorge serrée.

Épilogue

La montagne est toute blanche. En ce dimanche matin, peu de monde dans les rues. Juste quelques passants, se pressant vers l'église ou vers la boulangerie, et un gamin, sur le port, qui construit tout seul un bonhomme de neige.

Même les mouettes se taisent, blotties dans les corniches, les pattes au froid.

« Soyez prudent, ça glisse ! » recommande Mme Thibaut, qui s'est emmitouflée à la hâte.

Elle n'est ni maquillée ni coiffée, et porte un gros manteau sur sa chemise de nuit. Pieds nus dans ses pantoufles, elle piétine frileusement sur le seuil de l'hôtel.

« Ça me fait de la peine de vous voir partir, se désole-t-elle (et la vapeur qui s'échappe de sa bouche l'enveloppe d'un léger nuage). Pour une fois que j'avais un client à dorloter, et un gentil ! Enfin, ce sont les aléas du métier...

— Rentrez vite, vous allez prendre froid ! la coupe Novak. Et encore merci de votre accueil ! »

Il enfourche sa machine. Un coup de démarreur; hurlement de moteur dans l'air ouaté. Puis un dernier signe de la main.

Bientôt, laissant Collioure derrière lui, l'instit s'engage sur la route qui grimpe vers les hauteurs. La demeure des Loisel apparaît dans son champ de vision. Elle semble dormir, enroulée autour de ses hôtes comme un gros chat heureux. Si les maisons ronronnaient, on entendrait sûrement celle-ci à des kilomètres à la ronde!

Novak la dépasse, aborde le chemin qui longe les vignobles. Et soudain :

« Wouh! Wouh! »

Tiens, Tim! Que fait-il dehors par ce temps, au lieu d'être bien au chaud près de sa petite maîtresse?

Il galope dans la neige!

Outre celle de ses pattes — cinq coussinets en forme de fleurs —, une double trace se dessine sur l'étendue immaculée. La marque de trois semelles, plus exactement, dont l'une est encadrée de petits ronds, laissés par des béquilles.

Là, à l'horizon, ces deux hommes qui marchent... Mais oui, ce sont bien Gilles et M. Loisel, parcourant la propriété côte à côte! Ils semblent en grande conversation.

Au bruit de la moto, ils se retournent. Novak s'arrête à leur hauteur. Le visage de Gilles se fend d'un immense sourire.

« Vous nous quittez, Victor?

— Hé oui! j'ai fini ma mission. D'autres remplacements, ailleurs, m'attendent...

— Je fais visiter les vignobles à Gilles, dit M. Loisel. Voyez-vous, monsieur Novak, je me fais bien vieux, j'ai besoin de quelqu'un pour me seconder. Qui, mieux que mon gendre, saura remplir ce rôle ? »

Derrière le mont Canigou, le soleil vient de se lever. Tim le salue d'un aboiement joyeux, qui peu à peu se perd dans le lointain. L'instit est reparti, pour de bon cette fois. Les pneus de sa moto laissent de longs serpents noirs dans la neige...

LA BIBLIOTH

Retrouvez vo

QUE VERTE

éros favoris

IMPRIMÉ EN FRANCE PAR BRODARD ET TAUPIN
Usine de La Flèche, 72200.
Dépôt légal Imp : 6025 L-5 – Édit : 8177.
20-07-9360-01-7 - ISBN : 2-01-209360-4.
Loi nº 49-956 du 16 juillet 1949 sur les publications destinées à la jeunesse.
Dépôt : avril 1995.